NEW 서울대 선정 인문고전 60선

15

갈릴레이 두 우주 체계에 대한 대화

NEW 서울대 선정 인문 고전 ⑮

만화 갈릴레이 두 우주 체계에 대한 대화

개정 1판 1쇄 발행 | 2019. 8. 21
개정 1판 2쇄 발행 | 2021. 9. 27

정창훈 글 | 유희석 그림 | 손영운 기획

발행처 김영사 | 발행인 고세규
등록번호 제 406-2003-036호 | 등록일자 1979. 5. 17.
주소 경기도 파주시 문발로 197 (우10881)
전화 마케팅부 031-955-3100 | 편집부 031-955-3113~20 | 팩스 031-955-3111

값은 표지에 있습니다.
ISBN 978-89-349-9440-4
ISBN 978-89-349-9425-1(세트)

좋은 독자가 좋은 책을 만듭니다. 김영사는 독자 여러분의 의견에 항상 귀 기울이고 있습니다.
전자우편 book@gimmyoung.com | 홈페이지 www.gimmyoungjr.com

이 도서의 국립중앙도서관 출판예정도서목록(CIP)은 서지정보유통지원시스템 홈페이지(http://seoji.nl.go.kr)와 국가자료종합목록시스템(http://www.nl.go.kr/kolisnet)에서 이용하실 수 있습니다. (CIP제어번호 : CIP2018042488)

어린이제품 안전특별법에 의한 표시사항

제품명 도서 제조년월일 2021년 9월 27일 제조사명 김영사 주소 10881 경기도 파주시 문발로 197
전화번호 031-955-3100 제조국명 대한민국 ⚠주의 책 모서리에 찍히거나 책장에 베이지 않게 조심하세요.

미래의 글로벌 리더들이 꼭 읽어야 할 인문고전을 만화로 만나다

주니어김영사

〈NEW 서울대 선정 인문고전60〉이 국민 만화책이 되기를 바라며

제가 대여섯 살 때 동네 골목 어귀에 어린이들에게 만화책을 빌려주는 좌판 만화 대여소가 있었습니다. 땅바닥에 두터운 검정 비닐을 깔고 그 위에 아이들이 좋아하는 만화책을 늘어놓았는데, 1원을 내면 낡은 만화책 한 권을 빌릴 수 있었지요. 저는 그곳에서 만화책을 보면서 한글을 깨쳤고 책과의 인연을 맺었습니다.

초등학교 때는 용돈을 아껴서 책을 사서 읽었고, 중학교 때는 학교 도서 반장을 맡아 도서관에서 매일 밤 10시까지 있으면서 참 많은 책을 읽었습니다. 그 무렵 헤밍웨이의 《노인과 바다》를 손에 땀을 쥐며 읽으면서 인생에 대해 고민했고, 헤르만 헤세의 《수레바퀴 아래서》를 읽으며 사춘기의 심란한 마음을 달랬습니다. 김래성의 《청춘 극장》을 밤새워 읽는 바람에 다음 날 치르는 중간고사를 망치기도 했습니다.

당시 저의 꿈은 아주 큰 도서관을 운영하는 사람이 되어 온종일 책을 보면서 책을 쓰는 작가가 되는 것이었습니다. 나이가 들고 어느 정도 바라는 꿈을 이루었습니다. 큰 도서관은 아니지만 적당한 크기의 서점을 운영하고, 글을 쓰는 작가가 되었거든요. 저는 여기에 새로운 꿈을 하나 더 보탰습니다. 그것은 즐거운 마음과 힘찬 꿈을 가지게 해 주고, 나아가 자기 성찰을 도와주는 좋은 만화책을 만드는 일이었습니다. 이렇게 해서 만든 책이 바로 〈서울대 선정 인문고전〉입니다. 서울대학교 교수님들이 신입생과 청소년들이 꼭 읽어야 할 책으로 추천한 도서들 중에서 따로 60권을 골라 만화로 만든 것입니다. 인류 지성사의 금자탑이라고 할 수 있는 고전을 보기 편하고 이해하기 쉽도록 만화책으로 만드는 일은 쉬운 일은 아니었습니다. 약 4년 동안에 수십 명의 학교 선생님들과 전공 학자들이 원서의 내용을 정확하게 전달할 수 있도록 밑글을 쓰고, 수십 명의 만화가들이 고민에 고민을 거듭하면서 만화를 그려 60권의 책을 만들었습니다.

〈서울대 선정 인문고전〉이 완간되었을 무렵에 우리나라에 인문학 읽기 열풍이 불기 시작했습니다. 〈서울대 선정 인문고전〉은 인문학 열풍을 널리 퍼뜨리는 데 한몫을 하면서 독자들의 뜨거운 사랑과 관심을 받았습니다. 덕분에 지금까지 수백만 권이 팔리는 베스트셀러가 되었습니다. 그 사랑에 조금이나마 보답을 하기 위해 《칸트의 실천이성 비판》, 《미셸 푸코의 지식의 고고학》, 《이이의 성학집요》 등 우리가 꼭 읽어야 할 동서양의 고전 10권을 추가하여 만화로 만들었습니다.

〈서울대 선정 인문고전〉은 어린이와 청소년이 부모님과 함께 봐도 좋을 만화책입니다. 국민 배우, 국민 가수가 있듯이 〈서울대 선정 인문고전〉이 '국민 만화책'이 되길 큰마음으로 바랍니다.

손영운

권위주의에 맞서 과학적 진리를 주장하다!

과학을 흔히 '가치중립적인 학문'이라고 말합니다. 그만큼 과학적 사실은 편견으로부터 자유롭다는 뜻이지요. 여타의 학문과 달리 과학은 자신의 이론을 강요하고 다른 이론을 억압할 수 있는 여지가 적어보입니다. 하지만 과거를 되돌아보면 과학이 인간의 자유로운 사상을 억압한 적이 있습니다. 그 예가 바로 '천동설'이지요.

천동설은 2천 년 가까이 반대 이론, 즉 지동설을 억압해왔습니다. 객관적 사실을 다루는 과학이 어째서 그렇게 오랜 세월 동안 진실을 왜곡할 수 있었던 것일까요? 그것은 과학적 사실과 달리 과학 자체는 권위주의로부터 자유로울 수 없었기 때문입니다. 세상에서 가장 어려운 일의 하나는 권위주의에 대항하여 자신의 의견을 떳떳이 밝히는 것입니다. 그리고 권위주의로부터 옹호 받던 틀린 이론을 옳게 고치는 것이지요. 코페르니쿠스와 갈릴레이가 한 일이 바로 그것이었습니다.

갈릴레이는 《두 우주 체계에 대한 대화》에서 기득권을 가진 이론에 맞서 새로운 이론을 주장합니다. 과학적 사실에 기초한 대화였다면 갈릴레이의 승리는 훨씬 쉬웠을 것입니다. 하지만 아리스토텔레스와 교회라는 막강한 권위주의에 안주하고 있는 상대를 설득하는 일은 그리 녹록하지 않았지요. 교회가 갈릴레이의 이론을 인정하는 데에는 360년이라는 긴 세월이 걸렸으니까요.

요즘 커다란 사회적 갈등의 대부분은 과학 정책에서 비롯되고 있습니다. 줄기세포의 이용, 핵발전소 및 핵 폐기장 건설, 갯벌 매립, 대형 터널 굴착, 화석 연료의 이용과 지구 온난화……. 그 이유는 크게 두 가지로 나눌 수 있을 거예요. 첫째는 과학의 힘이 그만큼 강해졌다는 것이고, 둘째는 우리 사회의 민주화가 그만큼 성숙했다는 것이지요.

예전에는 권력을 쥔 일부 사람들이 과학의 힘을 마음대로 휘둘렀습니다. 하지만 과학의 힘이 인류의 미래를 좌우할 수 있게 된 지금, 과학의 힘은 일부 사람들의 전유물이 될 수 없습니다. 그렇다고 해서 과학이 우리들에게 언제나 올바른 길을 제시해 주는 것은 아닙니다. 과학의 힘을 어떻게 이용하고, 또 그 결과가 어떻게 될 것인지에 대한 책임은 전적으로 우리들에게 달려 있지요.

과연 천동설 같은 권위주의는 지금 우리가 살고 있는 민주화 시대에는 설 자리를 잃은 것일까요? 그렇지 않습니다. 더없이 막강해진 과학의 힘을 이용하여 자신의 이익을 극대화하려는 집단이 등장할 수도 있으니까요. 그 집단은 과학 지식의 옳고 그름을 떠나 자신의 반대 집단을 강요하고 억압하려 할 것입니다.

민주화 시대에는 서로의 이익이 더욱 첨예하게 대립되는 경우가 많습니다. 이때 우리는 어떠한 자세로 갈등을 풀어갈 수 있을까요? 갈릴레이는 이 책 《두 우주 체계에 대한 대화》에서 아리스토텔레스의 추종자와 진솔하게 대화하고 설득함으로써 그 방향을 제시하고 있습니다. 어쩌면 갈릴레이는 이 책을 통해 대화와 설득이라는 민주화 시대의 덕목을 가르쳐주고 있는지도 모릅니다.

정창훈

잘못된 관념에 대처하는 갈릴레이의 자세를 본받아요

'그래도 지구는 돈다!' 재판이 끝나고 이 유명한 말을 남긴 사람은 누구일까요? 맞아요. 바로 이탈리아의 천문학자 갈릴레이예요.

갈릴레이가 살던 중세 시대에는 지구를 중심으로 태양이 도는 것을 주장하는 '천동설'이 너무나 당연한 이론이었어요. 왜냐하면 지구는 신의 축복을 받았고 그렇기 때문에 지구가 우주의 중심에 놓여 있는 게 당연하다고 생각했기 때문이에요. 하지만 그렇게 생각하기에는 적절하지 못한 점이 많았어요. 그래서 그 부적절한 현상을 다른 방법으로 설명하기 위해 나온 것이 바로 '지동설'이라는 이론이었습니다.

갈릴레이는 2천 년 동안 내려오던 고정관념인 천동설을 깨뜨리기 위해 체계적이고 구체적인 이론을 제시하려 했어요. 하지만 가톨릭이 지배하던 시대에서 이 지동설이란 이론은 신을 모독하는 행위(지구가 중심이 아니라는 것)라고 사람들은 생각했답니다. 실제로 지동설을 주장했던 사람이 사형을 당하기도 했기 때문에 갈릴레이는 지동설을 지지하는 자신의 입장을 떳떳하게 드러내놓고 말할 수 없었어요.

그래서 갈릴레이는 천동설과 지동설, 이 두 가지 우주 체계에 대해 어느 것이 진실

인가를 밝히는 내용의 책을 쓰게 되는데 그 책이 바로 《두 우주 체계에 대한 대화》입니다. 책 속 세 명의 주인공 중 한 명이 갈릴레이의 입장을 대변해서 지동설을 주장하는데, 그 설득 방법이 지극히 객관적이고 논리적이어서 탄성을 자아내게 한답니다. 결국, 이 책으로 문제가 되어 종교 재판에 서게 된 갈릴레이는 천동설을 인정하고 지동설을 부정하게 되는데, 그때 그 재판장을 나오면서 했던 말이 "그래도 지구는 돈다!"라는 말이에요.

이 책을 통해 우리는 지구가 움직이는 사실을 논리적으로 설명할 수 있는 근거를 배울 수 있습니다. 그리고 무엇보다도 잘못된 관념을 맹목적으로 따르는 사람들에 대해 자신의 주장을 어떻게 펼치는 것이 좋은지, 그들에 대해 어떠한 자세를 가져야 하는지도 알 수 있을 거예요.

자, 그럼 두 우주 체계의 진실을 밝히려고 했던 갈릴레이의 치열한 토론 현장 속으로 출발해 볼까요!

유희석

| 차례 |

갈릴레이의 4일간의 대화 따라잡기

제1장
《두 우주 체계에 대한 대화》는 어떤 책일까?

아침이면 동쪽 지평선에서 태양이 떠오르고
저녁이면 서쪽 지평선으로 태양이 져.
동
서

태양이 지면 수많은 별들이 밤하늘에 수를 놓지.

별과 달은 밤하늘을 가로지르며 움직이고
세상에서 지구만 움직이지 않는 것처럼
보이지.
왜 그렇게 바쁘게 살아~.

아주 오랜 옛날, 사람들은 지구는 꼼짝 않고 있고 모든 천체가
지구 둘레를 돈다고 생각했어.
세상의
중심이
바로 나!

고대 그리스의 철학자 아리스토텔레스와
천문학자 프톨레마이오스는
논리학의 아버지가 바로 나야!
나도 그리스 사람이지!
아리스토텔레스
프톨레마이오스

이 생각을 체계화하여 우주의 구조를 설명하는
이론을 주장했는데,
그것이 바로
천동설이지.

아리스토텔레스보다 조금 늦게
태어난 아리스타르코스는 반대로
생각했어.
지구가 자전을 하면서 태양 둘레를 공전한다고 생각해!

하지만…
이것이 바로 지동설이야!
두둥

신을 모독 하지 마!
그런 말도 안 되는 소리를!
퍽
퍽
으윽!
퍽

지동설은 신성 모독이라며 핍박을
받았어.
그… 그게 왜 신성 모독이야?

왜냐하면 그때 사람들은 신이
이 세상과 인간을 만들었다고
생각했거든.
그런데?

그러니 인간의 터전인 지구가
세상의 중심이 되어야 했지.
인간이 신의 은총을 받은 셈이 되지 않겠어?
그… 그럴 수가!

지동설은 아르키메데스나 플루타르코스 등의 학자들에 의해 간신히
명맥을 유지했어.
아르키메데스
원주율(파이)값을 구해낸 것이 나 아르키메데스야!
나 플루타르코스는 그리스의 철학자이자 작가지!
플루타르코스

우리 피타고라스 학파도 지동설을 지지했다고.

그러다 15세기 폴란드의 천문학자인 코페르니쿠스가 지동설을 공론화하기 시작했어.
코페르니쿠스
혁명
코페르니쿠스 혁명이라고 들어봤어?
유럽

그 시대에는 지동설을 주장하면 종교 재판에서 목숨을 잃기 십상이었어.
당신은 지동설을 주장했으므로 사형입니다.
마… 말도 안 돼!
땅
땅
땅
재판

그만큼 지동설이 이단시되었지.
사… 살려줘! 그런 이유로 사형이라니….

그런 살벌한 시기에 과감히 목숨을 걸고 지동설을 주장했으니
혁명이라고 해도 지나친 말이 아닐 거야.

물론 코페르니쿠스도 자신의 주장을 제대로 펼치지 못하고 병상에서 쓸쓸히 숨을 거두었어.
아이고, 답답해!

이 책의 저자인 갈릴레이는 코페르니쿠스보다 100년쯤 후에 활동한 이탈리아 천문학자야.
에헴!
갈릴레이

갈릴레이는 천동설과 지동설을 자세히 검토했단다.
어느 것이 옳은 걸까?
천동설
지동설

그리고 자신의 관측 결과를 바탕으로 지동설을 확신했어.
코페르니쿠스의 지동설이 확실히 옳아!

물론 그때에도 아리스토텔레스의 사상은 대부분의 사람들의 사상을 지배했어.
아리스토텔레스를 무시하는 거야?
말도 안 되는 소리!
끄응

더구나 천동설은 가톨릭의 강력한 지지를 받고 있었지.
지구가 중심인 건 당연한 이치야!

그래서 갈릴레이는 아주 조심스럽게 지동설을 지지할 수밖에 없었어.
코페르니쿠스의 지동설이 옳은데…

그런 상황에서 갈릴레이가 자신의 의견을
밝히기 위해 쓴 책이 바로 이거야.
1
두 우주 체계
두 우주 체계에 대한 대화

이 책의 제목에서
'두 우주 체계'란 천동설과
지동설을 말해.
의외로
간단하지?

그러니까 이 책은 천동설과
지동설 중 어느 것이 옳고
그르냐에 대한 이야기를 쓴
것이라고 할 수 있지.
골라,
골라!
천동설
지동설

헉
지구가 태양 주위를
돌고 있다는 것은
확고부동한 사실이며,
그런 것쯤은 이미
다 알고 있다고?

그래서 이 책을
읽을 필요가
없다고?
우주 체계에
대한 대화

그건 아니야. 그럼 어째서
이 책을 읽어야 하는지
한번 생각해 보자고.
NO-
흔들
흔들

먼저 이 질문에 한번 대답해 봐.
지구가 우주의
중심이며 모든 천체는
지구를 중심으로
돌고 있다고 생각하면
왜 안 되는 거야?

억지 부리는 게 아니야!
이건 진지한 질문이라고.
움찔

어떻게 엄청나게 무거운 태양과 별과
은하가 작은 지구 둘레를 돌 수 있냐고?
끼이익

현대의 과학자
우주에는 중심이 없습니다!
그렇다면 모든 것이 중심이 될 수도 있지 않을까?

그 중심에 지구를 놓는다고 해서 이상할 것도 없잖아.
말… 되네….

또 우주에 태양과 지구 둘만 있다고 생각해 봐.

어느 것이 어느 것의 둘레를 돈다고 어떻게 말할 수 있겠어?
내가 네 주위를 도는 거니?
글쎄….

우주에는 태양 말고도 수많은 천체가 있다고?

그렇기 때문에 그 모든 천체들이 지구 둘레를 돈다고 생각할 수 없다고?
잘 지적했어!
휙

태양계만 하더라도 여러 행성들이 있지. 그 행성들이 모두 지구 둘레를 돈다고 생각하면 이상한 일들이 벌어질 거야.

화성 같은 행성들은 한 방향으로 진행하지 않고 어떤 때에는 뒤로 가기도 하겠지.
오예.
흔들
흔들

그래서 프톨레마이오스라는 학자는 '주전원'이라는 개념을 만들어 냈어.
그리스의 천문학자이며 지리학자가 바로 나야!
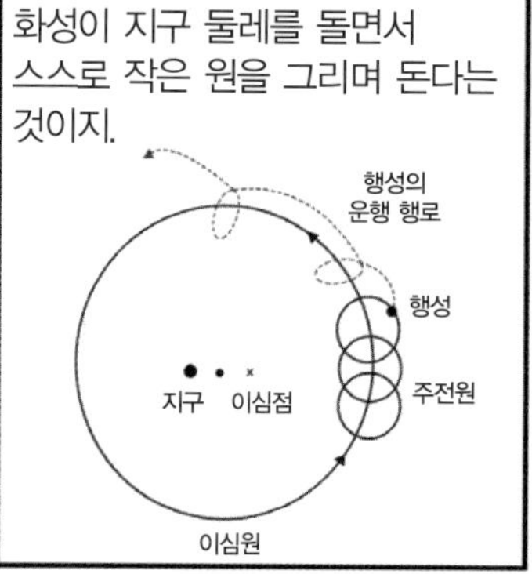
화성이 지구 둘레를 돌면서 스스로 작은 원을 그리며 돈다는 것이지.
행성의 운행 행로
행성
주전원
지구
이심점
이심원

그렇게 하면 화성의 복잡한 운동도 설명할 수 있어.
오오

이 주장은 이 책에서도 다루고
있는 내용이야.

자, 그럼 이렇게 생각해 봐! 화성이
지구 둘레를 돌면서
지구
빙그르르

스스로 허공을 중심으로 작은 원을
돈다고 생각하면 왜 안 되는 거지?
나는 회전하면
안 되는 이유
있어?!
엉
엉

이런 억지
질문에 도저히
못 참겠다는
표정이군.
그렇다면
이 책을 꼭
읽어야 해.

나는 이것보다 더
억지스러운 주장에
마음을 가다듬으며
대응을 했거든.
후우

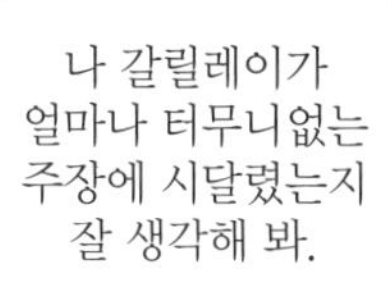
앞뒤가 바뀌기는 하지만 중요한
문제이니 이 책의 한 부분을
먼저 소개해 볼게.
나 갈릴레이가
얼마나 터무니없는
주장에 시달렸는지
잘 생각해 봐.

베니스의 한 유명한 의사가 시신을
해부하게 되었어.
신경의 근원이
어디인지 보여
드리겠습니다.
시체

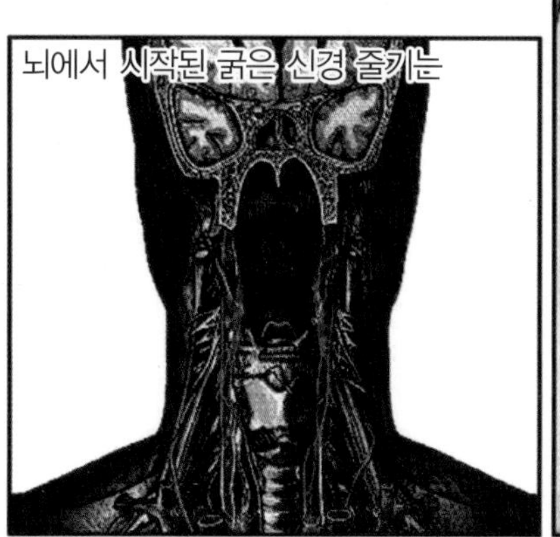
뇌에서 시작된 굵은 신경 줄기는

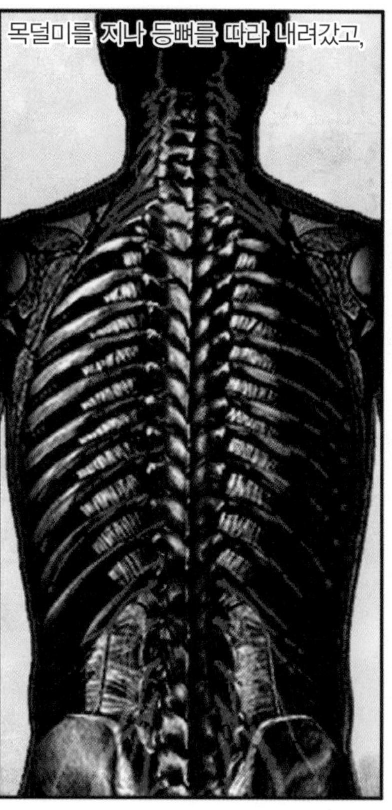
목덜미를 지나 등뼈를 따라 내려갔고,

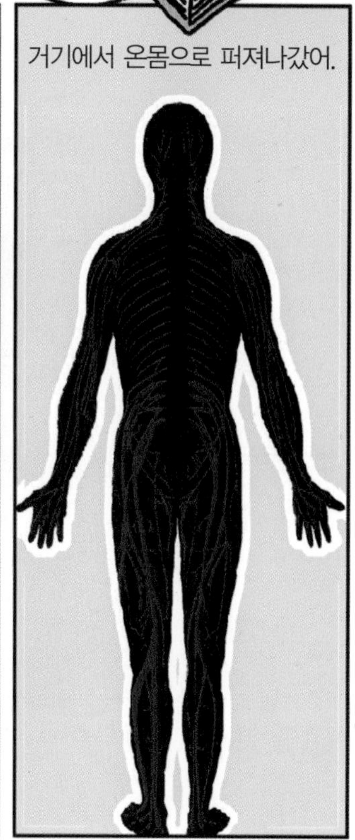
거기에서 온몸으로 퍼져나갔어.

요즘 사람이라면 신경이 뇌에서 시작된다는 것을 다 알고 있지.
오!

하지만 아리스토텔레스의 영향력이 지배하던 그때에는 신경이 심장에서 시작한다고 생각했어.
두근
두근

그들에게 아리스토텔레스의 학설은 절대 진리였고
세상에서 아리스토텔레스를 믿지 않으면 누굴 믿는단 말이야?

그 외에는 어떠한 사실도 받아들이지 않았어.
오, 해부하는 과정을 보니 역시 신경은 심장에서 시작하는군요.
당신 심장은 머리에 있소?
오오!

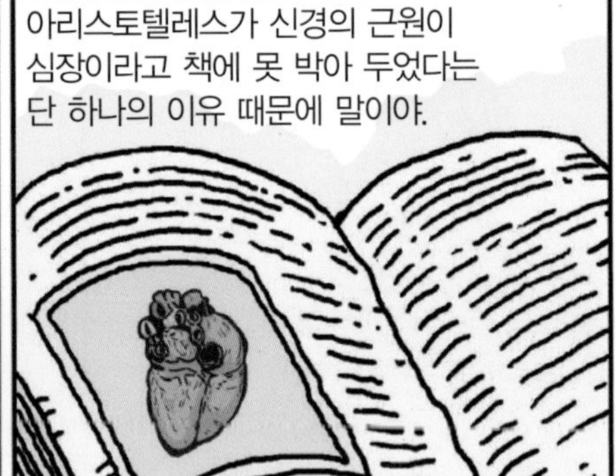

아리스토텔레스가 신경의 근원이 심장이라고 책에 못 박아 두었다는 단 하나의 이유 때문에 말이야.

무조건 당신을 믿습니다~!
아니, 이 사람이!

눈으로 확인하고도 잘못된 것을 믿겠다고?
책에는 그렇게 써 있지 않으니까요!

저건 억지가 아니라 맹신이라고 맹신.

갈릴레이는 이 책에서 이런 사람들과 대화를 나누었어.

그러니 조금 전에 내가 했던 질문에 말문이 막힌다면 되겠어?

그럼 한번 대답해 보겠다고?
좋아.

천체의 운동을 그렇게 설명하면 과학의 법칙이
모두 무너질 거라고?
와르르
과학의 법칙

왜 간단히 설명할
수 있는 것을 그렇게
복잡하게 설명하려고
고집을 부리냐고?

그래, 내가 듣고 싶었던
대답이 바로 그거야!
휘익

자연 과학은
1 물리학
2 화학
3 생물학
4 천문학
5 지학

이 세상이 어떻게 만들어졌고,
탕
탕

어떤 모양을 하고 있으며,

어떻게 될 것인지를 알아내려는
학문이야.
데구르르

그래서 과학자들은 우리 눈앞에
펼쳐지는 여러 가지
자연 현상을
토네이도가
형성되는
원리는….
쿠쿠쿠

합리적으로 설명하려고 노력하지.
쿠쿠
그러니까
건조한 공기와
습한 공기의
충돌로 인해….

그렇다면 우리가 자연의 본질을 언젠가는 알아낼 수 있을까?
아직
형성되는 원리는
정확히 모르겠어!!
콰콰콰

신은 우리에게 우주의 구조에 대해서는 논쟁할 수 있도록 허락하셨지만(사람의 마음이 느슨해지거나 게을러지지 않도록 하기 위한 배려였을 것이다.), 신이 하신 일을 발견하지는 못하도록 하셨다. 그러니 우리는 신이 정하시고 허락한 범위 안에서 우주의 구조를 밝혀내려고 노력해야 한다.

하지만 지금은 그때가 아니야.
자연의본질
아… 그래?
휙

그렇다면 우리가 지금까지 쌓아온 모든 과학 지식은

불확실한 것이고, 또 무의미한 것일까?
그렇지는 않아.

인류는 지금 지적 전성기를 맞이하고 있어.

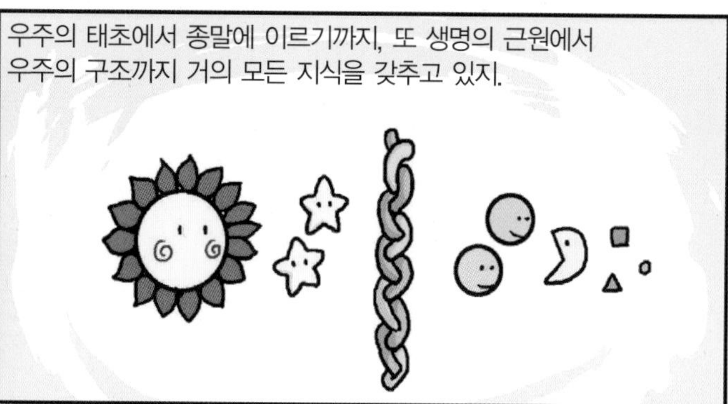

우주의 태초에서 종말에 이르기까지, 또 생명의 근원에서 우주의 구조까지 거의 모든 지식을 갖추고 있지.

아마 이런 지식들이 우주의 본질 자체는 아니더라도…
본질 근처까지는 우리를 안내할 수 있을 거야.

그리고 언젠가는 이런 지식을 바탕으로…
착
자연의 본질을 규명해 낼 수도 있겠지.

그런데 인류가 이런 엄청난 지식을 쌓아올릴 때 지켜온 기준이 있어.
기 준

그 기준이 무너지지 않는 한
기 준
기준

인류는 자연의 본질을 규명하기 위한 올바른 길을 가고 있다고 할 수 있지.
기준

지구 하나를 움직이는 것이 쉽기 때문에 지동설을 지지한
거야.

전체보다 이 짐 하나 옮기는 게 쉽잖아?

쓱

전 그렇게 생각하지 않는데요.

또한 자신의 주장이 옳고 상대의 주장이 그르다고 윽박지르지도 않아.
쓸데없는 일을 할 필요가 없다고 생각하는 데 말이야.
야, 이 바보야! 상식적으로 생각하라고!

실제로 갈릴레이는 이 책을 통해 자신의 이러한 태도를 여러 번 밝히고 있어.
지동설로 쉽게 설명할 수 있는 것을 어째서 천동설로 복잡하게 설명하는 거야?

물론 그때의 상황이 자신의 생각을 강하게 주장할 수 없었던 사실을 감안해야 하지만 말이야.
구체적인 것은 본 내용에서 알아보기로 해.

이 책에서 다루는 과학적 지식이야 400년 전의 것이니 뭐가 어렵겠어.
하지만 이 책에서 배워야 할 것은 단순한 과학적 지식이 아니야.

아리스토텔레스의 사상은 2천 년이 넘도록 사람들의 사고를 지배해 왔어.
아리스토텔레스
합체.
지잉

옳고 그른 것을 떠나서 사람들은

아리스토텔레스의 사상을 벗어날 수 없었던 거야.
크오오

잘못된 고정관념은 이제 그만!
떡
으악
슈아악

그토록 오랫동안 세상을 지배하던 고정관념들을 깨뜨리려면…
아주 체계적이고 구체적인 이론이 필요해.

갈릴레이는 코페르니쿠스의 지식과 자신의 관측 결과를 바탕으로

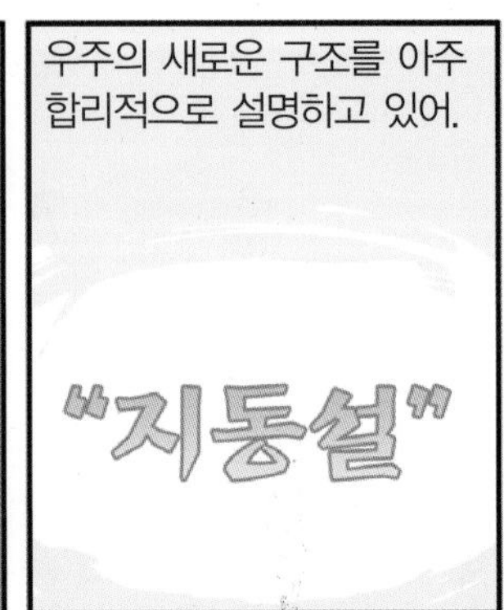
우주의 새로운 구조를 아주 합리적으로 설명하고 있어.
"지동설"

지구는 태양을 중심으로 돌고 있습니다.
음… 체계적이고, 합리적이야.

갈릴레이의 그 모든 노력이 바로 우리가 배워야 할 것들이지.

그럼 이 책이 어떻게 이뤄져 있는지 간단히 설명해 볼게.
이 책을 읽는 데 큰 도움이 될 거야.

이 책에서 살비아티와 사그레도 그리고 심플리치오라는 세 사람은 천동설과 지동설에 대해 나흘 동안 대화를 해.
정숙! 지금부터 나흘 토론을 시작하겠습니다.
살비아티
사그레도
심플리치오

살비아티는 지동설을 주장하는 코페르니쿠스를 대변하지.
갈릴레이 자신이라고 보아도 돼.

나는 이 대화의 중재자라고 볼 수 있어.

심플리치오는 천동설을 주장했던
아리스토텔레스 학파를 대변해.

사그레도는 대화의 중재자이지만 실제 대화에서는 지동설 쪽을 지지하는 편이야.
나는 아주 사려 깊은 사람이고, 양쪽의 주장을 모두 듣고 객관적인 판단을 하지.
….
슥

갈릴레이가 지동설을 주장하고 있으니,
이 연사 목 메어 주장하는 바입니다!

객관적이고 사려 깊은 사그레도가 지동설을 지지하게 되는 것은 당연하잖아.
옳소.
흠…

하지만 이 책을 읽으면서 주의해야 할 것이 있어.

이 책에는 지금 기준으로 보면 잘못된 지식들이 많이 등장해.
기준!
퍽
크윽!
두 우주 체계에…

예를 들어 천체의 크기나 거리가 지금과 많이 틀려.
왜냐고?

갈릴레이뿐 아니라 그때 모든 사람이 가진 지식에는 한계가 있었기 때문이야.
지식
으윽… 이젠 한계야….
더는…
으악!

그때에는 별이 정확히 무엇인지도 몰랐어.
은하의 존재도 알려지지 않았거든.
투둑

하지만 이 책에서 말하고자 하는 것이 우주의 구조이지 정확한 수치는 아니기 때문에
휙

큰 문제는 없을 거야.

제2장 갈릴레이는 어떤 사람일까?

그래서 갈릴레이의 아버지는 갈릴레이에게 성과 비슷한 이름을 지어주었어.
너의 이름은 갈릴레오라고 하자!

갈릴레이의 아버지도 갈릴레이니까 우리가 말하려는 갈릴레이는 갈릴레오인 셈이야.
아버지인 난 빈첸초 갈릴레이.
난 갈릴레오 갈릴레이~.

하지만 우리에게는 성이 더 잘 알려져 있으니 그렇게 쓰자고.
헷갈리지 않도록 조심해.
찌릿

갈릴레이의 아버지인 빈첸초 갈릴레이는 유명한 작곡가이자 음악 이론가야.
난 아마추어 음악가와 문학가들의 모임인 '피렌체 카메라타' 의 지도자이기도 했지.

세상에 아버지의 영향을 받지 않는 자식이 어디 있겠어.
나도 마찬가지야.
씨익

빈첸초 갈릴레이는 수학에도 조예가 깊었어.
음… 이건 이렇고 저건 저렇고….

응? 너도 가르쳐 줄까?
네.

아들에게 음의 비율에 관한 피타고라스의 법칙을 가르쳐 주기도 했어.
후후
어때, 재밌지?
네.
1+1=2

갈릴레이의
성격도 아버지를
많이 닮은 것 같아.

나의 저서에서
주장한 글을 볼까?

질- 질-

"나는 근거도 없이 단지 지난 세대의 권위에
기대어 어떤 주장을 하는 사람들의 생각은
아주 불합리하다고 생각합니다.
나는 그들과 달리
어떤 아첨도 하지 않고 자유롭게 탐구하면서
의문에 대한 답을 구할 것입니다.
그럼으로써 진리를 탐구하는 사람들의
대열에 합류하게 될 것입니다."

갈릴레이에게는 한 명의 남동생과 두 명의 여동생이 있었기 때문이야.
와아~.
와
아이들을 양육하는 데 부담을 느꼈거든.
후~

1581년, 17세의 갈릴레이는 아버지 뜻에 따라
아버지 뜻대로 할게요.
아들, 고마워!

의학과 수학이 같은 학부에 속해 있는 피사 대학에 입학하게 되었지.
피사 대학

처음에는 아버지를 기쁘게 해드리려고 의학을 공부했어.
하지만 도통 의학에는 흥미가 안 생기는걸….
음

의학에 대해 흥미를 못 느낀 건 갈릴레이의 성향 때문이기도 했지.
게다가 학계의 분위기와도 관계가 있어.

그때 피사 대학은 가톨릭의 교리와 아리스토텔레스의 철학이 결합한
CROSS!!
가톨릭 교회
아리스토텔레스

스콜라 학파의 학자들이 중심 세력을 이루고 있었어.
우하하하
새로운 지식
스콜라

그들은 새로운 지식을 받아들이지 않고
흥
뻥

모든 일을 아리스토텔레스의 이론으로 해석하려 들었지.
이봐, 물체의 무게와 관계없이 떨어지는 속도는 똑같다고!
뭐!

아리스토텔레스의 이론에 반하는 주장은 사정없이 매도되고 공격당했어.
이게 헛소리 하고 있어!
아리스토텔레스의 이론이 틀렸다는 거야?
이런 분위기에서 학문에 무슨 관심을 가질 수 있겠어.
휙
휙

어느 날, 갈릴레이는 피사 대성당에서

우연히 바람에 흔들리는
샹들리에를 보았어.
흔들~
흔들~
음

고개를 끄덕이며 리듬을 맞추던
갈릴레이는
체키럽~

무심코 자신의 맥박을 이용해 샹들리에의
진동 주기를 측정하게 되었는데…
음….
스윽

샹들리에의
진동 주기가
진폭에
관계없이
일정하잖아!!

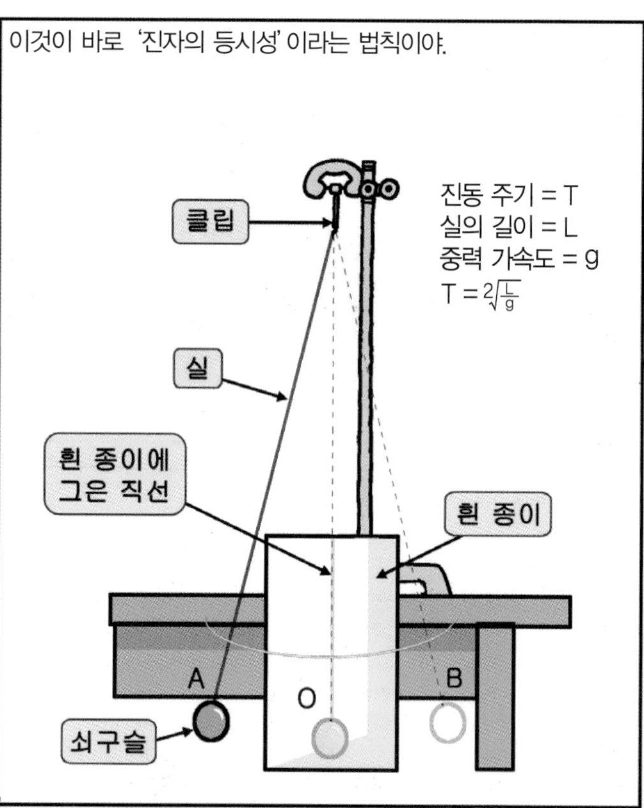
이것이 바로 '진자의 등시성'이라는 법칙이야.
진동 주기 = T
실의 길이 = L
중력 가속도 = g
$T = 2\sqrt{\frac{L}{g}}$
클립
실
흰 종이에
그은 직선
흰 종이
A
O
B
쇠구슬

그렇지 않아도 의학에 흥미를 잃은 갈릴레이는
공부하는 습관이 바뀌었어.
혼자 공부하는
습관을 가지게
되었지.

이때까지 수학을 체계적으로 공부하지 못했던 갈릴레이는
유클리드의 기하학을 접하고 수학의 매력에 푹 빠졌지.
뽀글
수학이
너무 좋아!
뽀글

1592년에는 고체의 무게 중심에 관한 논문으로 28세의 나이에
피사 대학에서 일하게 되었지.

피사 대학의 수학 강사로
임명합니다.

감사합
니다.

짝-
짝-
찰칵-
짝-
짝-
찰칵-

유력한 후원자들을 얻었으며, 자신의 뛰어난 학식을 인정받기도 했지.
게다가 연봉도 올라가고
결혼도 하고!
짝-
짝-
짝-
짝-
짝-

그야말로 행복한 나날을 보낸 거야.

갈릴레이는 과거의 권위에 얽매이지 않았어.
객관적인 실험과 관찰 결과를 바탕으로 지식을 쌓아 나갔어.

그러니 당연히 아리스토텔레스의 학설과 부딪히는 일이 많았지.
피사의 사탑에서 실험할 테니 누가 맞는지 보자고!
그래, 어디 해봐!

갈릴레이는 무게가 다른 두 개의 쇠공을 피사의 사탑에서 동시에 떨어뜨렸어.
갑니다!
웅성-
웅성-

물론 그 두 개의 쇠공은 동시에 떨어졌어.
툭
툭
물체는 무게에 관계없이 동시에 낙하한다는 결론을 내리겠습니다.

하지만 아리스토텔레스의 학설과는 상당히 달랐어.
무거운 물체가 가벼운 물체보다 먼저 떨어져.
그렇지만 지금 실험을 해서 그 학설이 틀렸다는 걸 증명했잖아!

이런 명확한 증거에도 불구하고 아리스토텔레스 학파의 학자들은 갈릴레이의 주장을 믿지 않았지. 오히려 핍박을 했어.
웃기지 마, 네가 뭘 안다고 그래?
아리스토텔레스보다 위대한 줄 아나본데?
휙
툭
툭
으악!

우주의 구조에 관한 갈릴레이의 생각도
아리스토텔레스와 달랐어.
나는 일찍부터
코페르니쿠스의 지동설을
믿고 있었지.
다다다

하지만 나의 그런 생각을
공개적으로 표명하는 것은
꺼렸어.
왜냐구?

1600년에 브루노라는 이탈리아의
철학자가 종교 재판에서
지동설이
최고!
사형!!
땅
땅
브루노

지동설에 관한 자신의 주장을 굽히지 않아
화형을 당했거든.
말도
안 돼.
활
활

이런 살벌한 상황에서 쉽게
지동설을 주장할 수 있겠어?
그렇다면
어떻게
할까?

아무도 부정할 수 없는
확고부동한 증거가 있다면
가능하겠지?
딱

1608년, 네덜란드의 리페르세이라는
안경 제조업자가
리페르세이
볼록
렌즈
오목
렌즈

볼록 렌즈와 오목 렌즈를
이용해 망원경을 만들었어.
두둥

이듬해, 베네치아에서 이 소식을
접한 갈릴레이는
리페르세이!
너를
뛰어넘어
주겠어!

곧장 파도바로 돌아와 3배율의 망원경을 만들었고,
32배율로 성능을 높였어.
오오
완성했어!

갈릴레이는 그 후 1610년 초까지 이 망원경으로
천체를 관측하면서 많은 발견을 했어.

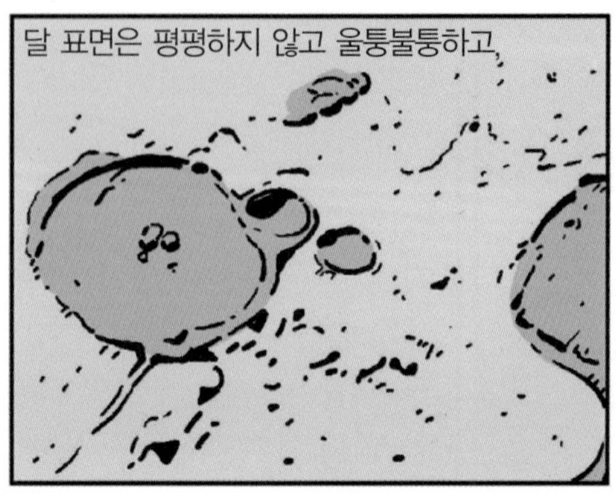
달 표면은 평평하지 않고 울퉁불퉁하고,

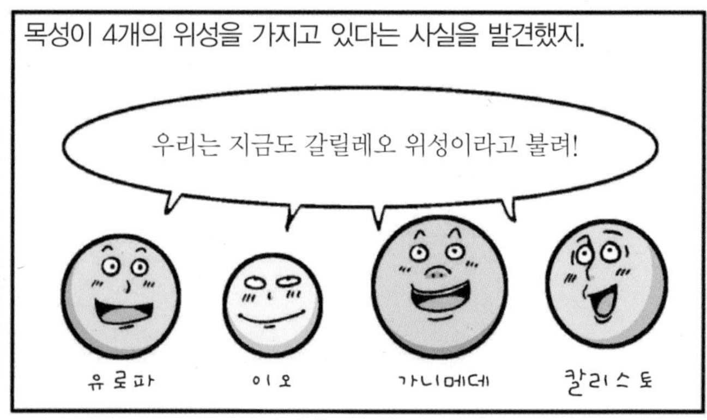
목성이 4개의 위성을 가지고 있다는 사실을 발견했지.
우리는 지금도 갈릴레오 위성이라고 불러!
유로파
이오
가니메데
칼리스토

은하수는 수많은 별들로 이루어져 있으며,

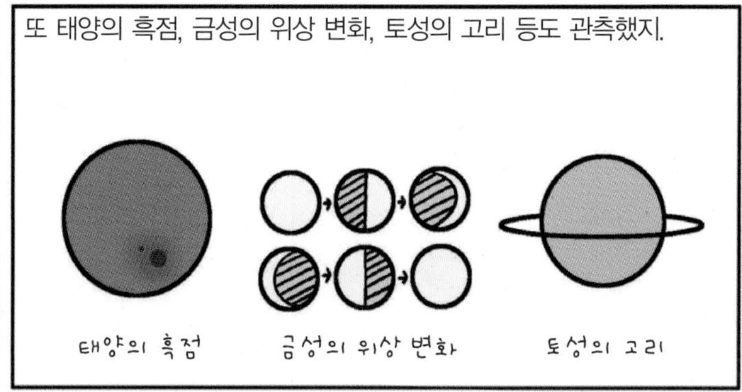
또 태양의 흑점, 금성의 위상 변화, 토성의 고리 등도 관측했지.
태양의 흑점
금성의 위상 변화
토성의 고리

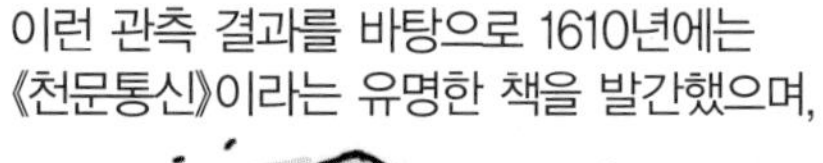
이런 관측 결과를 바탕으로 1610년에는
《천문통신》이라는 유명한 책을 발간했으며,

천문통신

그 공로를 인정받아 파도바 대학의
종신 교수로 임명되었어.
하하

하지만 토스카나 대공의 과학
자문역으로 곧 자리를 옮겼지.
BYE-
더 많은 연구를
위해 떠납니다.
교수님….

이때쯤 갈릴레이는 이미 유럽 최고의
과학자로서 이름을 떨치고 있었어.
내가
최고야!
유럽

이에 자신을 얻어 1613년에는 코페르니쿠스의 지동설이 옳고
프톨레마이오스의 천동설이 틀렸음을 밝히는
천동설 아니죠.
휙
지동설
맞습니다.
천동설-
지동설

3통의 편지를 발표했는데,

체계적인 설명과 적합한 어휘 구사력으로 넓은 지지를 받았지.
오… 훌륭한데!
정말 체계적이군!

하지만 어이없게도 나의 시련은 이때부터 시작돼.

갈릴레이의 지동설 지지에 위협을 느낀 아리스토텔레스 학파의 학자들은
스 윽
지동설
아리스토텔레스 학자들

지동설이 성서에 위배된다는 이유로 그를 공격하기 시작했어.
성서를 거스르는 내용이잖아!
이건 틀렸어!
지동설
휙

물론 종교 지도자 중에 갈릴레이의 주장에 동조하는 사람들도 많았어.
내 생각에도 갈릴레이가 맞는 것 같은데….

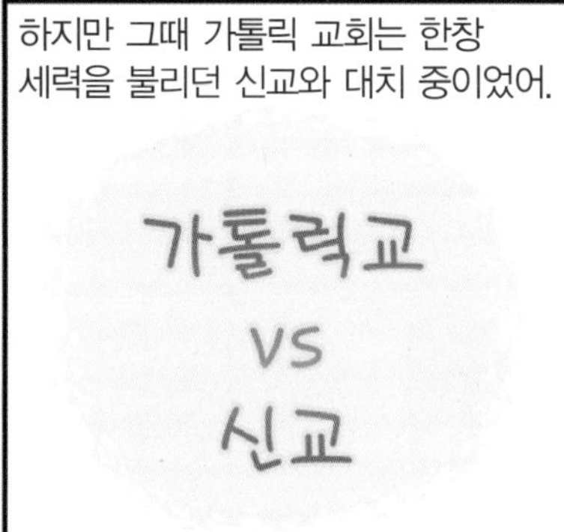
하지만 그때 가톨릭 교회는 한창 세력을 불리던 신교와 대치 중이었어.
가톨릭교
VS
신교

그래서 가톨릭 교단의 단결을 위해
강한 수를 쓰겠어!
딱

모든 이단적 이론을 엄히 다루고 있었지.
벨라르미노
그 중심에 선 인물이 교리 책임자였던 나 벨라르미노 추기경이야.

결국 1613년 3월 5일, 로마 교황청은 코페르니쿠스의 우주 체계가 오류임을 발표했어.
오류임을 공식적으로 발표합니다!

결국 코페르니쿠스의 책은 금서 목록에 오르게 되었지.
코페르니쿠스

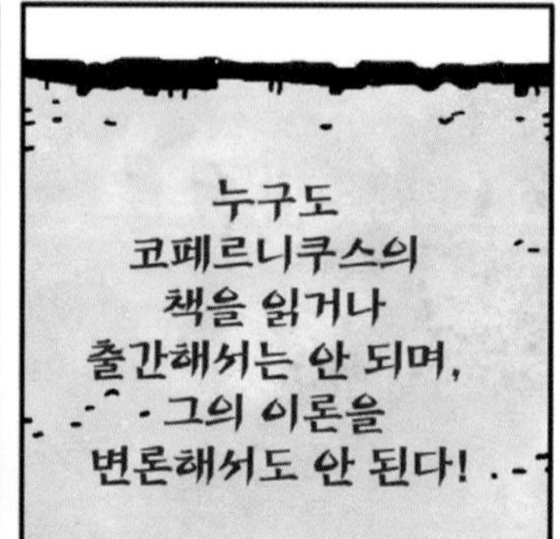
누구도
코페르니쿠스의
책을 읽거나
출간해서는 안 되며,
그의 이론을
변론해서도 안 된다!

쯧
그러니
내 처지가 얼마나
어려웠겠어.

1624년, 갈릴레이는 교황청의 금지령을 철회해 달라고 부탁하기 위해
가는 거야!
척

로마를 방문했지만 성과를 얻지 못했어. 다만 갈릴레이의 오랜 친구이자 후원자였던 교황 우르바누스 8세는 달랐지.
두 우주 체계를
공정하게
다룬다는 조건으로
자네 책의 출간을
허락하겠네!
고맙네,
친구!

이 책의 결론이 인간의
능력으로는 우주의
본질을 알 수
없다로 내려졌으면
하는데….
자네의
요구대로
하도록
노력
하겠네!

피렌체로 돌아온 갈릴레이는 자신의 역작을 집필하기 시작했으며,

1632년 교회의 검열을 마치고 세상에 빛을 보게 되었지.
와아~.
됐다,
드디어
완성이야!

그 책이 바로 우리가 지금 읽으려는 《두 우주 체계에 대한 대화》야.
두 우주 체계에
대한 대화

이 책은 다른 두 주장을 가진 사람들이 이야기를 주고받는 형식을 갖추었는데
이봐, 내 의견을
들어봐!
아니, 내
말부터 먼저
들어봐!

겉으로는 어느 편도 들지 않는 것처럼 보여.
난 중립이야!

하지만 책을 읽으면 무엇을 주장하는지 쉽게 알 수 있지!
이 책 지동설을 주장하고 있어.
크크크.

뭐야, 코페르니쿠스의 우주 체계를 지지하고 있잖아!
쾅

어떤 사람들은 이 책이 신교의 지도자인 루터와 칼뱅의 설교를 합친 것보다 더 나쁘다고 주장하기도 했어.
이 책 정말 몹쓸 책이야!
이런 책이 있다는 것이 믿기질 않아!
너무하잖아!

1633년, 69세의 갈릴레이는 종교 재판에 기소되어 로마로 소환되었어.
내가 뭘 어쨌다고….
덜컹
덜컹

갈릴레이는 유죄 판결을 받았으며 코페르니쿠스의 지동설을 부정하도록 권고 받았지.
그냥 눈 딱 감고 지동설은 잘못되었다고 해!
하지만….

그것을 거역하면…
사형?
응!

결국 갈릴레이는 자신의 과오를 인정하고 간신히 목숨을 건졌어.
지동설을 포기합니다!

갈릴레이는《두 우주 체계에 대한 대화》에서도 타원 운동은 거론하지 않았어.

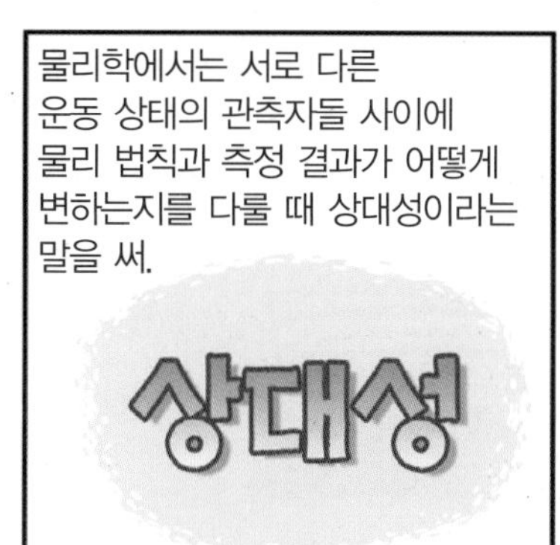

갈릴레이의 위대한 정신, 그것이 바로 갈릴레이에게서 정말 배워야 할 것이 아닐까?

이 책에서는 살비아티, 사그레도, 심플리치오라는 세 명의 주인공이 이야기를 나눈다고 했지?

살비아티는 코페르니쿠스와 견해를 같이 하는 갈릴레이 자신을 대변하며,

심플리치오는 아리스토텔레스의 이론을 따르는 소요학파 사람들을 대변해.

하지만 그냥 갈릴레이와 아리스토텔레스처럼 실제 인물을 거론할 때도 있을 거야.

첫째 날에 세 주인공은 지구가 하늘에서 움직이는 물체들과 다른 것이냐 아니면 같은 것이냐에 대해 열띤 토론을 해.
살비아티
사그레도
심플리치오

천동설이냐 지동설이냐를 따지는 데 웬 뚱딴지 같은 이야기냐고? 그렇게 생각할 만도 해.

옛날 사람이나 지금 사람이나 과학적 능력이야 크게 다를 것 없겠지만 쌓아놓은 지식은 달라.
과학적 지식이 엄청 다르게 되지.
….

보신탕 반대해요. 개는 우리의 친구예요!
프랑스 달팽이 요리는요? 달팽이도 우리 친구예요.
벌컥

아무리 내가 갈릴레이라고 하지만 무려 400년 전 사람이잖아?

그러니 과학적 능력은 아주 뛰어났더라도 지식은 얼마나 낮았겠어.
탕
스타트 지점이 다른 거지!

더구나 그때의 과학적 지식의 토대는 2천 년 전에서 별로 바뀐 것이 없으니 말이야.
헉
헉-
다
다
다
다
다
다

그렇기 때문에 우리가 가지고 있는 현재의 지식을 바탕으로 이 책을 읽으면
?
헉
헉
헉
헉

이 사람들이 왜 이런 이야기를 하는지 전혀 이해를 못 하게 되는 거야.
왜 이렇게 늦어? 이해가 안 되네.
….
다다
헉
헉

모든 일을 하기 전에 준비 운동을 하잖아. 그러니 우리도 먼저 준비 운동을 해야 해.
헛둘-
헛둘-
그런 운동 말고~.

여기서 준비 운동이란 아리스토텔레스 학파의 학자들이 어떤 과학적 지식을 갖추고 있느냐를 미리 알아보는 거야.
자, 아리스토텔레스가 살던 세상에 가보자고.

아리스토텔레스는 기원전 4세기에 활동했어.
고대 그리스의 철학자이자 과학자야.

아리스토텔레스는 이전부터 내려오던 모든 학문을 집대성하여 커다란 체계를 이루었어.
휙
너무 여기저기 널려 있잖아!

이 체계가 무려 2천 년이 넘도록 서양 세계를 지배하게 되지.
유럽

이 책에서는 심플리치오라는 인물이 아리스토텔레스의 학문을 대변하는데,
타앗

아리스토텔레스 학파의 학자들과 그 추종자들을 소요학파라고 불러.

아리스토텔레스는 리케이온이란 학교를 세워 제자들을 가르쳤는데,
학교 안을 산책하면서 강의를 했기 때문에 소요학파라 부른 거야.

이들은 학교 과정을 통해 네 가지 기준이 되는 사고를 갖게 돼.
자, 그 네 가지가 무엇인지 알아보자고!

하지만 하늘을 봐. 하늘의 천체는 지구 둘레를 돌 뿐 전혀 바뀌지 않아.

셋째, 요즘 사람들은 물체가 운동을 하는 이유를 알아.
맞아, 힘을 받기 때문이라는 것을 잘 알고 있지!
드르륵

그런데 소요학파 사람들은 물체는 그 물체를 이루는 물질의 성질 때문에 운동을 한다고 생각했어.
그게 무슨 소리야? 쉽게 설명해봐!
헉
헉

흙처럼 무거운 성질을 가진 물질로 이루어진 물체는 밑으로 떨어지고,
촤아아

불처럼 가벼운 성질을 가진 물질로 이루어진 물체는 위로 올라간다는 것이지.
타닥
탁
탁

넷째, 위나 아래로 움직이는 운동은 직선 운동이야.
웃차!
직선 운동은 지구에서나 일어나는 불완전한 운동이라고 생각해!
착

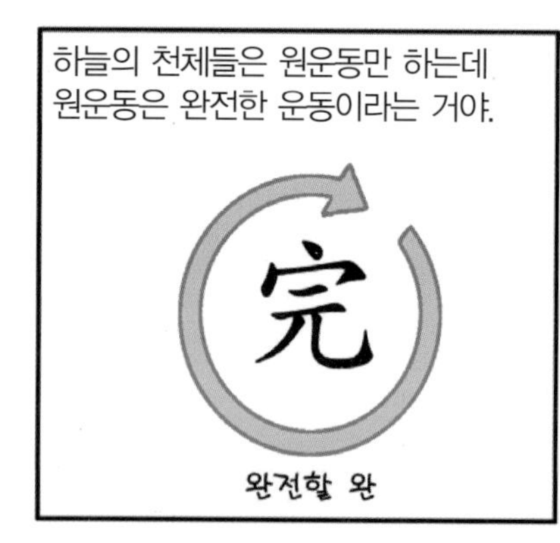
하늘의 천체들은 원운동만 하는데 원운동은 완전한 운동이라는 거야.
完
완전할 완

봐, 내 손을 중심으로 돌잖아!
붕
붕

그렇기 때문에 천체들이 우주의 중심이 될 수는 없어.
운동하는 우리가 중심일 수는 없지 않겠어?

또 물체는 우주의 중심을 향해 떨어지려고 해.
별똥별도 지구로 떨어지잖아. 그렇기 때문에….
슈우우

소요학파 사람들은 지구의 중심이 우주의 중심이라고 생각한 거야.
만약 지구가 중심이 아니라면 사과는 우주의 중심인 다른 쪽으로 떨어지겠지!
툭

요즘 사람들에게는 도저히 이해할 수 없는 생각들이지만 옛날 사람들에게는 이런 이론들이 나름대로 의미를 가졌어.
불가사의한 자연 현상을 나름대로 그럴듯하게 설명해 주고 있거든.

소요학파의 이론이 없었다면 사람들은 자연에 대한 무지 때문에 불안하게 살아왔을 거야.
탁
탁

불이 무서워요. 갑자기 우리 쪽으로 달려들면 어떡해요?
정말 그러면 어떡하지?
소요학파 이론에 의하면 불은 가벼워서 위로 향하기 때문에 우릴 덮치지 않아!

소요학파의 이론은 나름대로 소임을 다한 것이지.
휴~.
그렇군요~.

하지만 사람들의 사고 능력이 더욱 넓어지면서 소요학파의 이론이 그르다는 사실을 깨닫게 되었어.
어, 아버지. 불에 대해 잘못 알고 계신 것 같은데….

소요학파의 이론을 바꾸면 되지 않느냐고?
그게 그렇게 간단하지 않아.

2천 년 넘게 세상을 지배해 온 고정관념을 바꾼다는 건 정말 어려운 일이거든.
바나나는 과일이 아냐!

그럼… 뭐, 풀이냐?
으…응!

말도 안 되는 소리 한다. 바나나가 풀이면 지구가 공전한다.
우물

풀인 것도 맞고 공전하는 것도 맞는데….

어떤 사람은 지동설을 주장하다가 목숨을 잃기도 했어.
나 코페르니쿠스도 큰 곤욕을 치렀지. 이랴!
히이잉~

지동설을 주장하려면 세상을 지배하는 엄청난 세력과 겨루어야 해.
이랴앗!!
다각
다각~
다각~

도저히 반박할 수 없는 정교한 이론과 조심스러운 방법으로 그 사람들을 설득해야 하는 것이지.
정교한 이론
조심스런 방법

살비아티는 지동설을 이해시키기 위해 다음과 같은 순서에 따라 자신의 주장을 펼쳤어.
내 주장을 이해시키려면 체계적인 단계가 필요하거든!

첫째 날의 주장은 지구의 물질과 하늘의 물질은 서로 다르지 않다는 거야.
1.
소요학파 사람들이 이것을 인정하게 되면 지동설을 이해시키기가 더 쉬워질 거야.

지구와 하늘이 서로 다르지 않다면
지구가 특별히 우주의 중심에 있어야만 할 이유도 없을 테니까 말이야.

둘째 날에는 지구의 자전,
랄라라~
휘릭

셋째 날에는 지구의 공전에 관한 구체적 증거들을 제시했지.
......
헉
헉
다다

마지막으로 넷째 날에는 밀물과 썰물에 대한 주장을 해.
밀물과 썰물은 지구의 운동에 따라 일어나는 현상입니다!
챠아아~

하지만 아쉽게도 이것은 틀린 생각이야.
이런 오류는 내가 살던 시대의 과학적 한계 때문에 어쩔 수 없었지!

지금은 첫째 날 이야기를 다루어야 하니까 나머지는 그때 하도록 해.

직선 운동과 원운동
100분 토론

자, 다시 첫째 날 이야기로 돌아가 볼게.
어느 정도 준비 운동을 했으니 이제 엉뚱한 이야기를 하더라도 좀 참을 수 있을 거야.

지금부터 살비아티의 주장을 들어보자고.
안녕하십니까?
짝!
짝!
짝!

살비아티는 첫째 날에 지구와 하늘의 본질이 다르지 않다고 주장한다고 했지. 그것을 위해 맨 처음 원운동에 대해 주장했어.
원운동이야말로 완전하고도 유일한 운동입니다!
오오~.

직선 운동은 원운동으로 가기 위한 과정에 지나지 않습니다!
쳇! 직선 운동이면 직선 운동이고 원운동이면 원운동이지!

물체가 정지해 있다는 것과

직선 운동을 한다는 것
데굴데굴

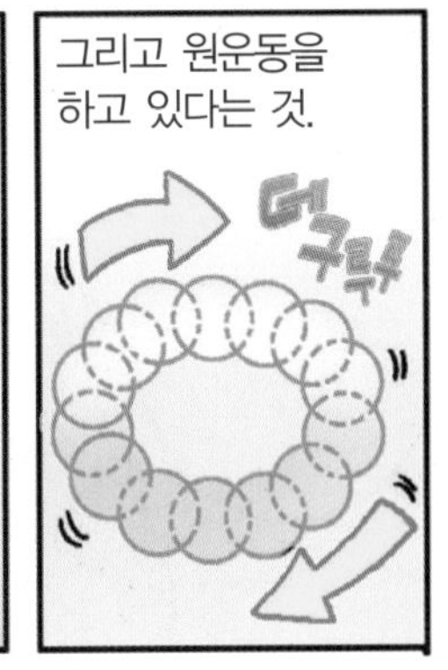
그리고 원운동을 하고 있다는 것.
데구루

이 차이는 무엇일까요? 또 이들의 관계는 무엇일까요?

살비아티는 이것을 설명하기 위해 다음과 같은 삼각형을 그리며 설명했어.
자, 여기 삼각형을 보세요.

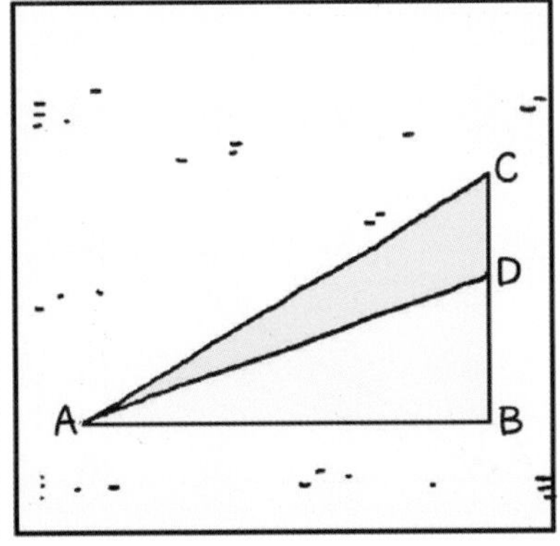
C
D
A
B

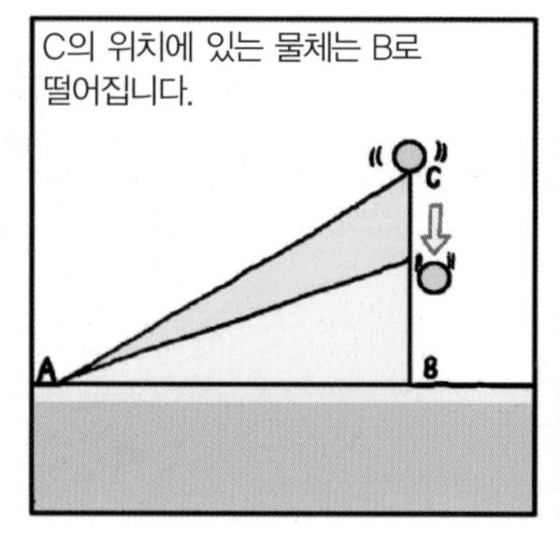
C의 위치에 있는 물체는 B로 떨어집니다.
C
B
A

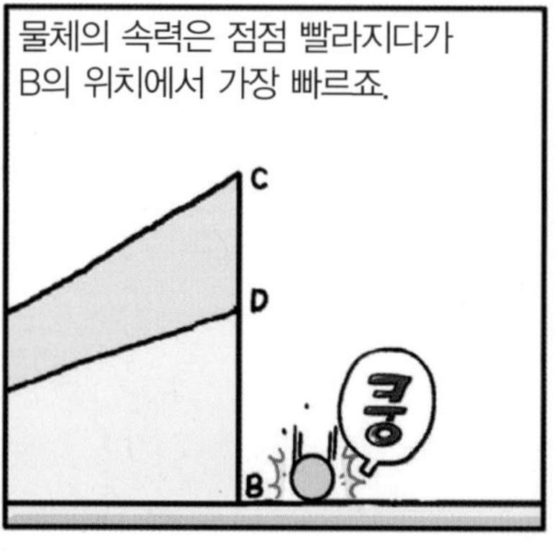
물체의 속력은 점점 빨라지다가 B의 위치에서 가장 빠르죠.
C
D
B
쿵

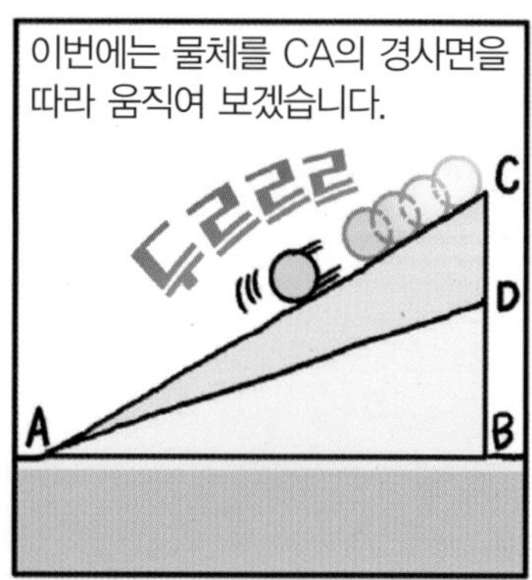
이번에는 물체를 CA의 경사면을 따라 움직여 보겠습니다.
두르르르
C
D
A
B

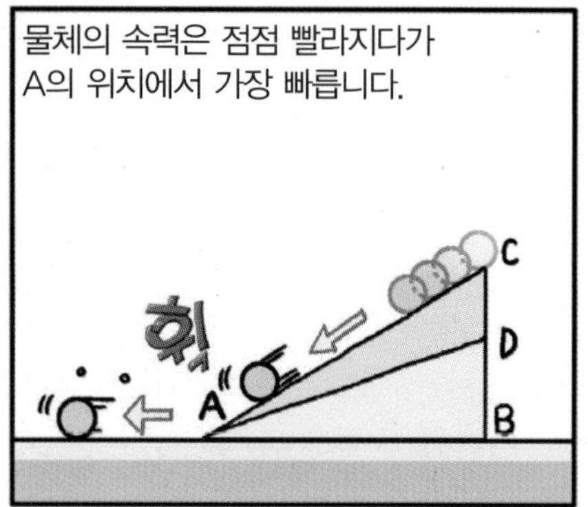
물체의 속력은 점점 빨라지다가 A의 위치에서 가장 빠릅니다.
휙
C
D
A
B

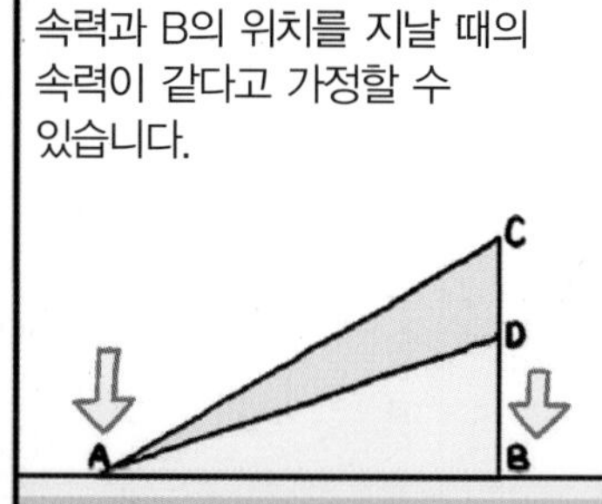
물체가 A의 위치를 지날 때의 속력과 B의 위치를 지날 때의 속력이 같다고 가정할 수 있습니다.
C
D
A
B

말도 안 되는 소리!
아닙니다!
벌컥

이것은 간단한 삼각 함수 계산으로 입증할 수 있습니다.
제 설명을 잘 들으셔야 합니다.

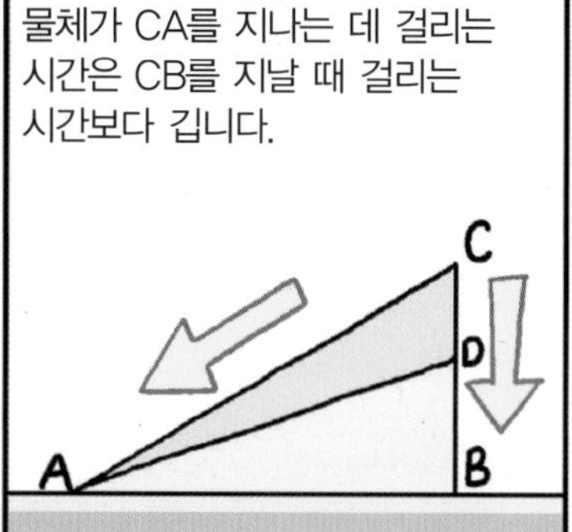
물체가 CA를 지나는 데 걸리는 시간은 CB를 지날 때 걸리는 시간보다 깁니다.
C
D
A
B

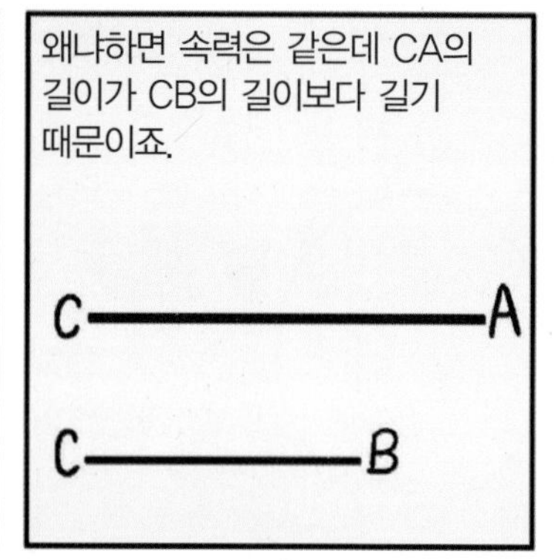
왜냐하면 속력은 같은데 CA의 길이가 CB의 길이보다 길기 때문이죠.
C
A
C
B

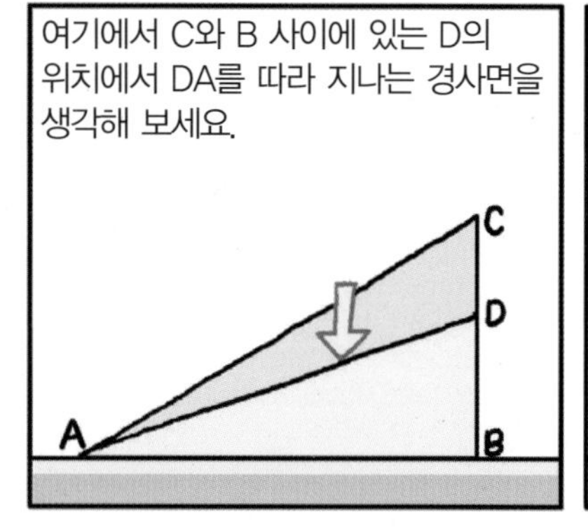
여기에서 C와 B 사이에 있는 D의 위치에서 DA를 따라 지나는 경사면을 생각해 보세요.
C
D
A
B

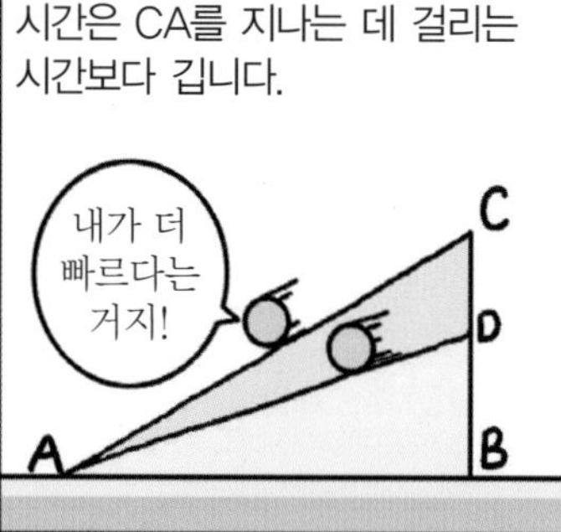
물체가 DA를 지나는 데 걸리는 시간은 CA를 지나는 데 걸리는 시간보다 깁니다.
내가 더 빠르다는 거지!
C
D
A
B

여러분도 이 사실에 동의하겠죠?
네!!

D의 위치를 B에 점점 가까이 해 볼게요.
슥

물체가 DA를 지나는 데 걸리는 시간이 점점 길어질 겁니다.
슥
C
D
A
B

경사면을 완만하게 만들면 물체가 지나는 데 100년이 걸리게 할 수도 있습니다.
세월아 네월아~.
살살

그리고 D와 B를 일치시키면 물체의 속력은 0이 되어 그 자리에 정지해 있게 되지요.
당연하 잖아!
흥

이 설명을 위해 두 가지를 가정하겠습니다.

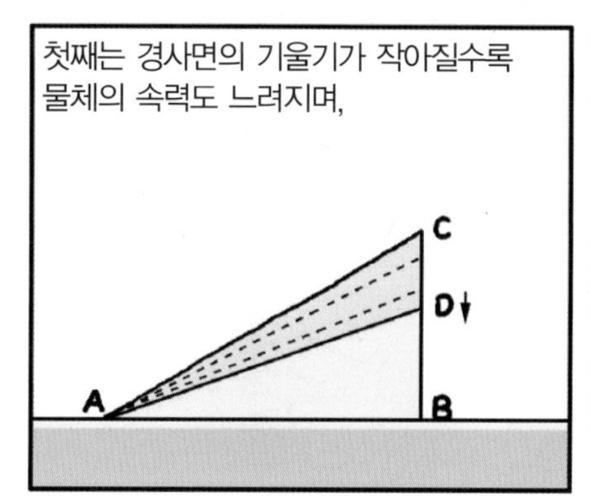

첫째는 경사면의 기울기가 작아질수록 물체의 속력도 느려지며,
C
D
A
B

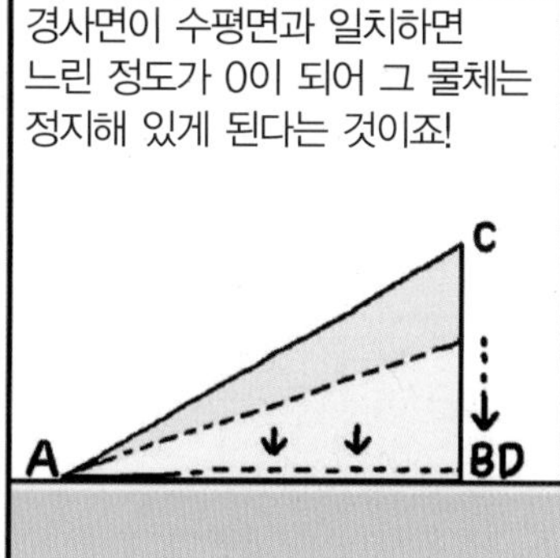

경사면이 수평면과 일치하면 느린 정도가 0이 되어 그 물체는 정지해 있게 된다는 것이죠!
C
A
BD

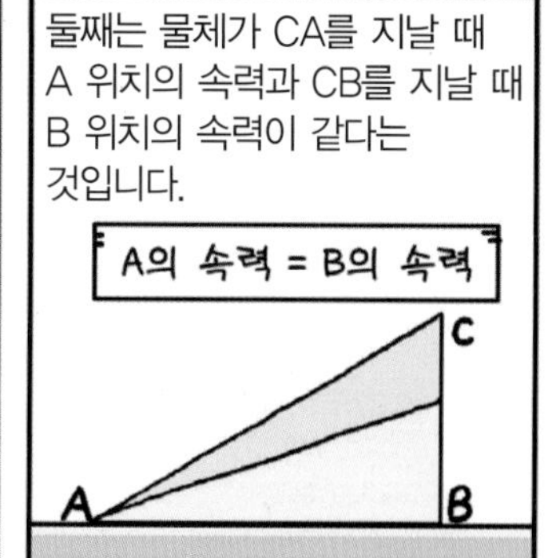

둘째는 물체가 CA를 지날 때 A 위치의 속력과 CB를 지날 때 B 위치의 속력이 같다는 것입니다.
A의 속력 = B의 속력
C
A
B

자, 그럼 살비아티가 이 설명으로 말하려는 바를 이야기해 줄게.

정지한 물체가 움직이기 시작하면 무수히 많은 느린 단계를 거친다는 것이야.
어떤 물체가 갑자기 빠른 속력을 갖게 되는 것이 아니라는 거야.

살비아티는 따라서 물체가 어떤 일정한 속력을 얻으려면
팅

먼저 그에 해당하는 속력을 얻을 수 있는 만큼 직선 운동을 해야 한다고 생각했어.

또 D와 B가 일치할 때처럼 물체가 수평면 위에 있을 때에는 전혀 움직이지 않게 되지.

아리스토텔레스와 갈릴레이는 모두 직선 운동이 불완전하다고 생각했어.

어디론가 끝없이 가게 된다는 사실을 이해할 수 없었던 것이지.

그런데 원운동을 생각해 봐. 원운동을 하는 물체는 일정한 속력을 가지고 있으면서도 중심을 따라 돌기만 해.

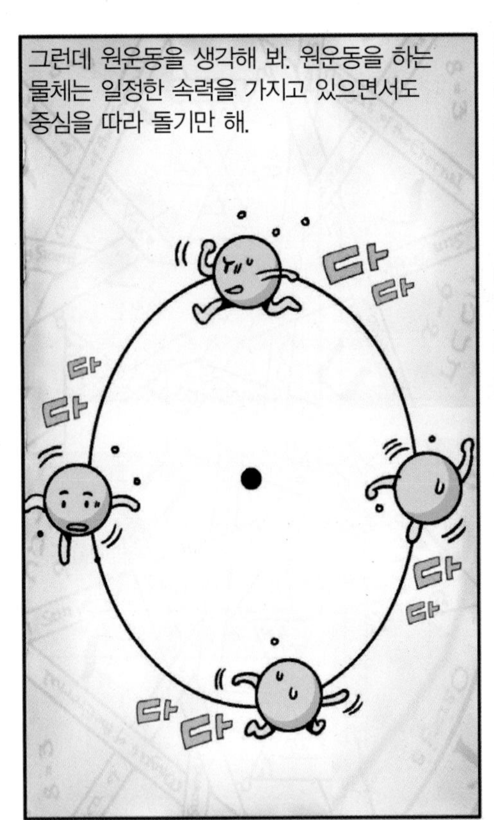

정지해 있지 않으면서도 우리가 모르는 먼 곳으로 가지도 않잖아.

일단 원운동에 알맞은 속력을 얻으면

그 후에 중심을 따라 영원히 일정한 속력으로 돌게 된다는 것이지.

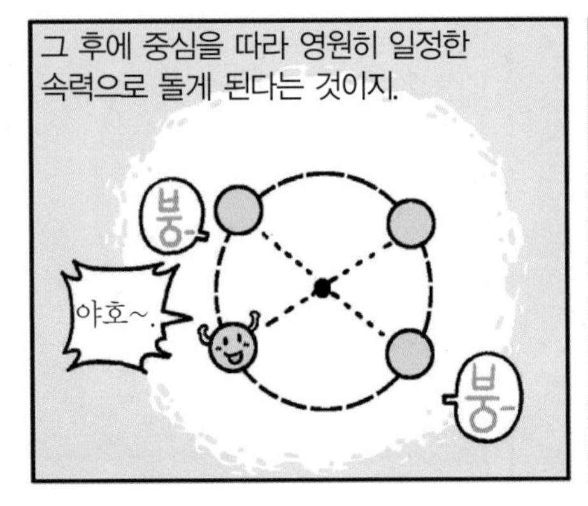

더 나아가 살비아티는 행성의 궤도와 속력에 이 이론을 적용하면 구할 수 있는 것이 있다고 했어.

현대의 이론에는 전혀 맞지 않는 엉뚱한 이론이지만 좀 더 이야기를 들어 봐.

신께서 우주를 창조할 때 태양을 중심에 놓고 여러 행성들은 일정한 궤도를 따라 태양 둘레를 돌도록 만들었다고 생각해 보죠.

또 이 모든 행성을 한곳에서 만들었다고 가정해 보겠습니다.
쏙
쏙

그렇다면 행성들은 태양에서 얼마나 멀고 얼마나 높은 곳에서 만들어졌을까요?
저기 있는 녀석이 태양이야?
진짜 멀리도 있네….

과연 행성들은 모두 같은 곳에서 만들어진 것일까요?
난 출신이 다른 별이라고!

먼저 목성과 토성이 어느 먼 곳에서 만들어졌다고 가정해 보죠.
다음 그림을 보면서 설명해 드리도록 하겠습니다.

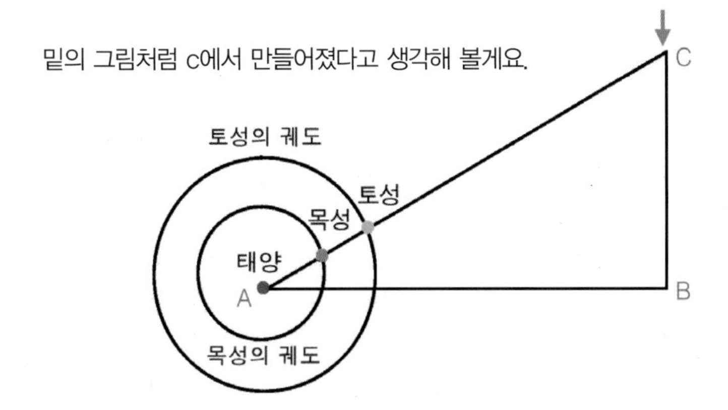
밑의 그림처럼 c에서 만들어졌다고 생각해 볼게요.
C
토성의 궤도
토성
목성
태양
A
B
목성의 궤도

그런 다음 같은 높이에서 경사면을 따라 움직이기 시작합니다.
슬금
슬금
자, 가보자고~.

토성이 먼저 자신의 궤도에서 원운동을 하게 됩니다.
내가 먼저 도착했어!
찌찌찍

목성은 토성보다 더 먼 거리를 움직인 후에 원운동을 하게 되죠.
난 더 가야겠어.
잘 가~.

이렇게 생각하면 실제 목성과 토성의 궤도와 운동을 잘 설명할 수 있습니다.

토성이 먼저 원운동을 시작했다는 것은 토성의 궤도가 태양에서 더 멀다는 뜻입니다.

바꿔 말하면 나 목성의 궤도가 태양에서 더 가깝다는 뜻이지.

또 목성은 토성보다 더 먼 경사면을 움직였으니 그만큼 속력이 빠르겠죠. 그것은 틀림없는 사실입니다.

뭐라고? 말도 안 되는 이론으로 실제 현상을 억지로 꿰어 맞춘다고?

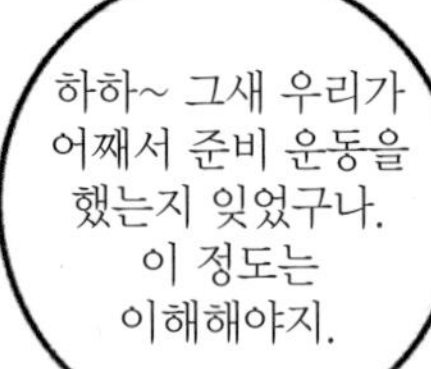

살비아티는 여기에서 지구와 하늘의 본질이 같다는 것을 증명하려고 했어.

이 사실은 아리스토텔레스나 갈릴레이 모두 인정하는 것이야.

비록 우리는 인정하지 않더라도 그때 서로 논쟁을 하던 사람들이

모두 인정하는 사실을 바탕으로 자신의 주장을 펼치는데 무엇이 잘못되었어?

관점을 우리 눈에 맞추고 이 책을 읽으면 안 돼.

사람 키의 50배나 되는 높이에서 떨어뜨리면 맥박이 4번 뛰는 동안에 떨어집니다.

이처럼 빨리 움직이는 물체가 천 년이 흘러도 한 뼘의 거리도 움직이지 못할 정도의 느린 속도를 거쳐야 한다니 말입니다.

목적지를 향했다면 언젠가는 목적지에 도달해서 움직이지 않을 것이고,
도착했으니 쉬자.
목적지

목적지가 없다면 그 물체는 아예 그 방향으로 움직이지 않는다는 것이지.
목적지도 없이 어디를 가라는 거야?
안 가! 못 가!

왜냐하면 도달하는 것이 불가능하다면 움직이지 않는 것이 자연의 순리라고 생각했거든.
자연은 쓸데없는 일은 하지 않을 테니까!

그래서 원운동이 완전한 운동이며 균형이 잘 잡힌 세상이라면 지구든 하늘이든 모두 원운동만 하게 된다는 주장이지.
이 사실만 확실히 입증할 수 있다면….
하늘
빙글-
빙글-

반면, 소요학파 사람들은 지구와 우주의 본질이 다르다고 주장했어.
지구의 물체는 직선 운동을 하며 하늘의 물체는 원운동을 합니다!
그럼!!

증거만 있으면 이런 소요학파 사람들의 주장을 물리칠 수 있을 텐데 말이야.
두둥
지구도 원운동을 한다는 증거를 수집해야 해!

양쪽 주장 모두 터무니없는 것 같다고?
….

자자, 진정들 하시고요! 두 분 의견의 타당성은

하긴 그래. 어쨌든 중요한 것은 근거는 빈약하더라도 얼마나 합리적인 의견을 제시하느냐는 것이라 볼 수 있어.
그럴싸한 정도가 아니라 그럴 수밖에 없는 의견, 즉 반박의 여지가 없는 의견이 중요한 거라 할 수 있죠!

그런 면에서 나 갈릴레이에게 좀 더 후한 점수를 줄 수 있지 않을까?
아싸~.

하늘은 변하지 않는가?

지구와 하늘의 본질이 같다는 것을 입증하기 위해 두 가지를 주장하겠습니다!
드륵
100분 토론

살비아티는 먼저 원운동이 하늘에서만 일어나는 특별한 운동이 아니라고 했어.
원운동은 지구를 포함한 어느 곳에서든 적용할 수밖에 없는 완전한 운동입니다.

두 번째로 하늘에서도 변화가 일어날 수 있습니다! 지구와 하늘은 같은 물질로 되어 있으니까요.

왜냐하면 아리스토텔레스는 일시적이고 모든 것이 바뀔 수 있는 지구와 달리 하늘은 영원하고 불변하다고 생각했거든.
지구와 하늘은 본질적으로 달라. 보면 모르나?

아리스토텔레스는 어떤 근거로 이런 주장을 하고 있는 것일까?
쩝
내가 아무런 이유도 없이 그런 말을 했을 리 없잖아?

만일 이 주장이 옳다는 사실이 입증되면 소요학파 사람들을 설득할 수 있을 거야.
흥
훗, 지구와 하늘이 같은 물질로 되어 있다니… 무슨 말도 안 되는 소리야?

이에 대해 먼저 심플리치오의 주장을 요약해 볼게. 이 주장은 바로 아리스토텔레스의 이론이기도 해.
네가 잘 말해봐!
짝
맡겨 주십쇼!

새로 생기는 것은 그와 성질이 반대되는 것에서 비롯됩니다.
드륵

그와 마찬가지로 반대되는 것에 의해 반대되는 것으로 바뀔 수 있다는 거야.
??
무… 무슨 소리야?

다시 말해 어떤 것이 새로 생기거나 바뀌는 일은 반대되는 것이 있을 때에만 가능한 것이라는 거지.
반대되는 것이 없으면 새로 생기는 일이 없다는 말입니다.

그런데 반대되는 물질은 움직일 때
반대 방향으로 움직입니다.
같은 물질이라면 같은 방향으로 움직이겠죠!

따라서 하늘의 물체들에는
반대되는 물질이 없습니다.
…?

반대되는 물질이 반대 방향으로 움직이는 거랑 하늘의 물체들에 반대되는 물질이 없는 것이 무슨 관계가 있다는 거야!

참나, 왜냐하면 하늘의 물체들은 원운동만 하는데 원운동에는 반대되는 운동이 없기 때문인 거지요.

하늘에 반대되는 물질이 없다는 것은 반대되는
성질이 없다는 것을 뜻합니다.
마치 무슨 최면에 걸린 것 같아….

그러니 하늘의 물체들은 늘지도 않고 줄지도 않으며
영원히 변하지 않고 그 모습을 유지하는 것입니다.
오, 하늘은 불변하고 영원하여라!
오~.
완벽한 이론이야!

우리의 위대한 스승 아리스토텔레스는
수많은 방법을 써서
흠….

원운동에 반대되는 운동은 없다는 것을 증명했죠.

세상에는 중심을 향해서 멀어지는
직선 운동,
스르르

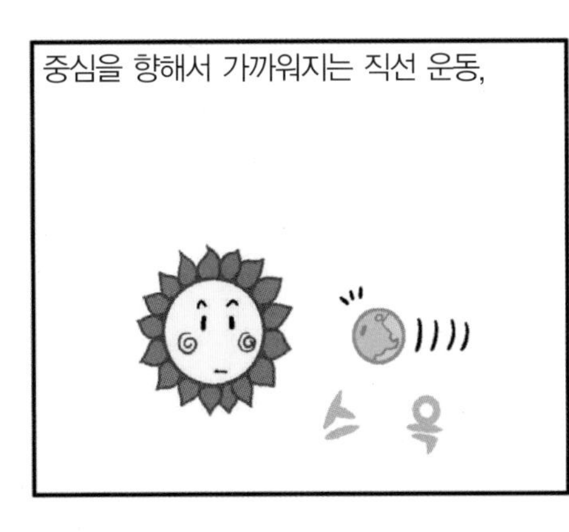
중심을 향해서 가까워지는 직선 운동,
스윽

또는 중심 둘레를 도는 원운동,
이렇게 3가지 운동밖에 없는데,
빙글
빙글

멀어지고 가까워지는 두 운동은 서로 반대이니 원운동의 반대 운동은 없다는 말씀입니다.

뭔가 이상한데….
끄응~

문제가 꼬리에 꼬리를 물고 끝이 없이 이어지는 것 같다고?
그렇기는 해….

내가 재미있는 이야기 하나를 해 줄 테니 한번 들어 봐.

어떤 바보 점원이 가게를 지키고 있는데 난로에 기름이 떨어져서 몹시 추운 거야.
도저히 못 참겠다!
덜
덜
덜

그래서 사장에게 기름이 떨어졌다고 말했지.
그렇다면 금고의 돈으로 기름을 사와!

바보 점원이 금고에 가보니 글쎄 돈이 하나도 없는 거야.
….

사장님, 돈이 없는데요.
아, 그럼… 기름을 팔아서 돈을 구해와!

아하!
딱

바보 점원은 다시 난로를 확인하고
어? 사장님, 기름이 없어요!
그럼 금고의 돈으로 기름을 사와!

결국 바보 점원은 하루 종일 추위에 떨어야 했지.

소요학파 사람들은 마치 이 사장과 비슷해.

말도 안 되는 말로 자신의 주장을 되풀이하거든.

어때, 참 재미있는 말이지? 소요학파 사람들을 이해시키기가 그만큼 힘든 거야.

심플리치오의 말장난에 지친 사그레도는 이렇게 되받아쳤어.

하늘의 물체는 절대로 생성되고 소멸되지 않는다.

따라서 그것들은 반대되는 물체를 가진다.

여기에서 반대되는 물체란 생성되고 소멸되는 물체를 말한다.

그런데 반대되는 물체가 있는 것은 생성되고 소멸될 수가 있다.

그러므로 하늘의 물체는 생성되고 소멸된다!

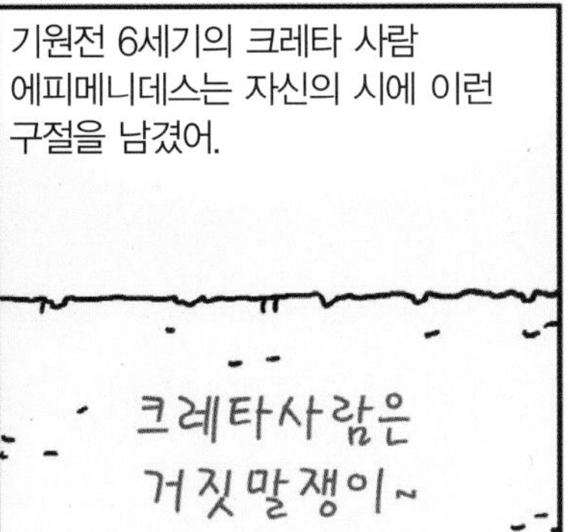

투명한 것은 밀도가 낮은 것이고 불투명한 것은 밀도가 높은 것이다.

하늘	투명	밀도가 낮음
별	불투명	밀도가 높음

하늘에도 밀도가 높고 낮은 부분이 있다는 것은 성질이 반대되는 것이 있다는 뜻이다.
….

그러니 하늘의 물질들도 생성하고 소멸한다!

나 사그레도는 원래 중재자인데 심플리치오의 억지 때문에
아….

나도 모르게 살비아티의 편을 들었어.
잠시 제가 흥분을 했군요. 하지만 제 의견에 동의하시지 않나요?

심플리치오가 동의했을까? 그렇지 않아. 앞에서도 말했지만 말장난은 말장난을 낳을 뿐이지.
하늘의 물체들에 대해서는 밀도가 높거나 낮다는 것이 반대되는 성질이 아닙니다.

밀도차는 성질이 차갑고 뜨거운 두 개의 반대되는 성질에서 유래한 것이 아니라고 주장했어.
밀도와 성질은 다른 것입니다.

저 사람이 말하면 무슨 말인지 모르겠어.
….

밀도가 높고 낮음은 상대적으로 많거나 적다는 뜻이며,
엄마 친구 아들이 잘났다고 해서 내가 못난 것은 아닌 거죠.
넌 비교하지 않아도 못났어!

이처럼 상대적으로 반대가 된다고 해서 성질의 반대를 말하는 건 아니라는 거지.
우리의 일이 좋고 나쁘다 할 수 없는 것처럼….

그 성질의 반대됨을 뜻하는 것은 아닙니다.
….
….

마치 탄성이 좋은 풍선처럼 이쪽을 누르면 저쪽이 튀어나오고
삐죽

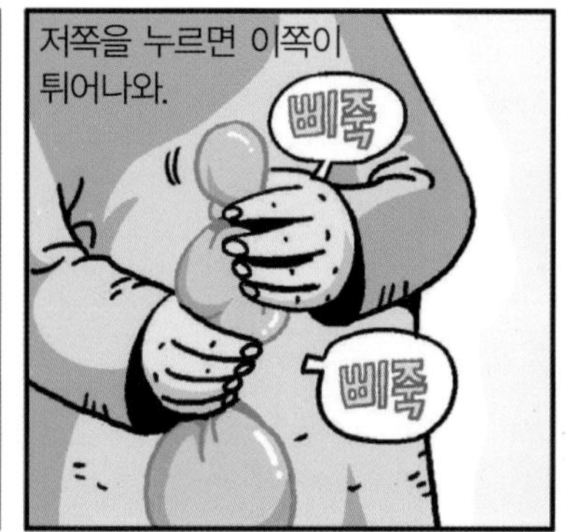
저쪽을 누르면 이쪽이 튀어나와.
삐죽
삐죽

결국 전체를 누를 수 있는 방법은 없는 거지.
쩝

심플리치오의 이런 태도를 꼼짝 못하게 할 수 있는 방법은 무엇일까?
하하하하, 완벽한 이론이야!

맞아! 바로 관찰과 실험을 통해 증거를 대는 것이지.
그것이 바로 과학이잖아.

그래서 사그레도와
아까 말한 얘기는 설득력이 부족합니다. 그러니 하늘이 변하지 않고 영원하다는 것을

살비아티는
증명할 수 있는 검증 가능한 이론으로 제시해 줄 순 없는 겁니까?

심플리치오를 좀 더 과학적인 토론으로 이끌어내려고 노력해.
알겠습니다. 정 원하시다면야.
흠

결국 심플리치오는 하늘의 불변성의 이유를 들어 다음처럼 검증 가능한 이론으로 설명하지.
첫째,
칫.

우리 눈으로 관찰하든

과거의 기록을 살펴보든

하늘의 물체들이 생기거나 사라지는 일은 절대 없습니다.
절대!
척

따라서 하늘의 물체들은 영원히 변하지 않습니다.
하지만….
조용, 제가 발언하고 있잖습니까!

하지만 지구의 물질들은 우리가 보듯이 계속 바뀌므로 하늘의 물체와는 완전히 다릅니다.
크윽!
계절만 봐도 바뀌지 않습니까?

둘째, 어두운 물체와 밝은 물체는 완전히 다릅니다.

지구는 어둡지만 하늘의 물체는 빛으로 가득합니다.
와아~.

그렇기 때문에 지구와 하늘은 완전히 다른 것입니다.
이제 아시겠습니까?
완벽해!
짝
짝
오~.

자, 어때. 이제 좀 더 과학적인 토론을 할 수 있게 되었지?

이것이 어째서 과학적인 주장인지 잘 모르겠다고?
소요학파 사람들의 이론은 항상 이런 식이야! 알 듯 모를 듯 하지?

그럼 이 책에 나오는 내용은 아니지만 이해를 위해 꼭 필요한 것이니 잠시 보충 설명을 해 줄게.
펄럭

20세기에 활약한 영국의 과학 철학자 칼 포퍼는 다음과 같이 주장했어.
'반증 가능성'을 과학 이론의 수용 또는 거부의 기준으로 삼아야 합니다.

반증 가능성이란 사실이 아님을 증명할 수 있는 가능성을 말해.
쉽게 설명해 줘.
그게 무슨 소리야?

그러니까 사실이 아님을 쉽게 증명할 수 있는 이론일수록…
칼 포퍼

과학적 이론에 가깝다는 거야.
무슨 말인지 알겠지요?
모르겠는데요!

예를 들어 드리겠습니다.

'화성은 두 개의 위성을 가지고 있다.' 라는 이론을 생각해 보자.

이 이론이 틀렸음을 증명하기는 쉬워.
화성에서 세 번째 위성을 발견하면 됩니다!
오~.

그러니까 이 이론은 과학적 이론이라고 할 수 있는 거지.
온갖 수단을 동원해서도 화성에서 세 번째 위성을 발견하지 못하면 이 이론은 맞는 거지요.

하지만 '우리 모두는 자신을 보호하는 수호천사를 가지고 있다.' 는 주장을 생각해 봐.
안녕?
내가 보여?

이 주장이 틀렸다는 것을 어떻게 증명할 수 있겠어?
…
안녕하세요!

그러니까 이 주장은 과학적 이론이라고 보기 힘든 것입니다.
칼 포퍼

이제 심플리치오의 마지막 주장을 살펴보자고.
턱

이 주장은 이전의 주장과 달리 반증하기가 쉬워.
잘 보라고~.

첫째, 하늘에서 새로 생기거나 사라지는 물체를 발견하거나 어떤 변화라고 관측하게 되면
오옷! 저것은 처음 보는 별이야! 새로 생긴 것 같아!

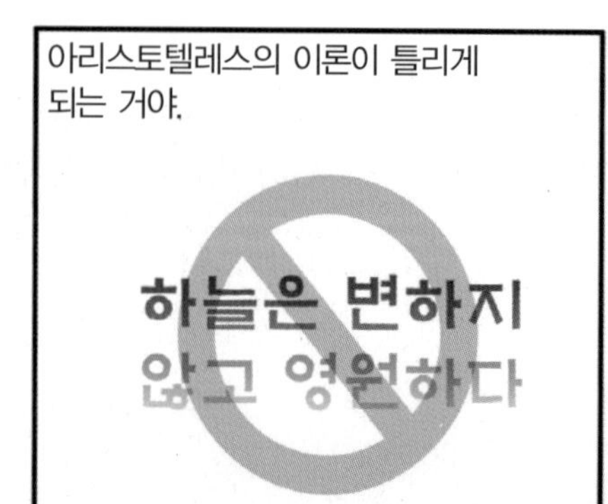
아리스토텔레스의 이론이 틀리게 되는 거야.
하늘은 변하지 않고 영원하다

마찬가지로 아리스토텔레스의 이론을 반박할 수 있지.
내 이론이 이렇게 쉽게 반박이 가능하다니….
철퍽
아뇨, 과학적 이론에 가까운 거죠.

이들의 토론이 처음보다 꽤 과학적이 된 셈이야.
어때, 점점 흥미진진해 지지 않아?

둘째, 하늘의 물체 중에서 어두운 것이 있다는 사실만 밝히면
오옷! 저건 완전 검은 별인걸!

아리스토텔레스도 관측과 실험을 중요하게 생각했어.
이봐, 이봐… 나도 과학적인 사람이라고!

하지만 옛날에는 기술이 부족했기 때문에 현상을 정확하게 관측하기가 어려웠지.
봐봐, 이렇게 보면 잘 보인다고!
슥

그래서 밤하늘에서 어떤 일이 일어나는지 전혀 몰랐던 거야.
어~ 잘 보인다!
….

하지만 아리스토텔레스 이후 관측 기술이 많이 발전했어.
저, 저기요….
응? 왜? 너도 볼래?
….

특히 나 갈릴레이는 직접 만든 천체 망원경으로 수많은 천체를 관측했지.
아뇨. 전 제 걸로 볼 겁니다!
뜨아….

이처럼 최신 지식과 관측 경험으로 든든했기 때문에

지동설에 그만큼 자신이 있었던 거야.
내가 다 믿는 구석이 있었다는 사실!

심플리치오의 주장에 대한 살비아티의 반박을 한번 들어 봐.
천문학자들은 달의 궤도보다 훨씬 먼 곳에서 혜성들이 나타나고 사라지는 것을 관측했습니다!

또 1572년과 1604년에는 두 개의
새로운 별들이 나타났는데,
반짝
반짝

이 별들이 여러 행성들보다 훨씬 먼 곳에 있다는 것은 의심할
여지가 없습니다.
우리가 멀리 있다는 사실은 몰랐지?

그뿐 아니라 망원경으로 태양의 표면을
보면
아… 눈부시다.

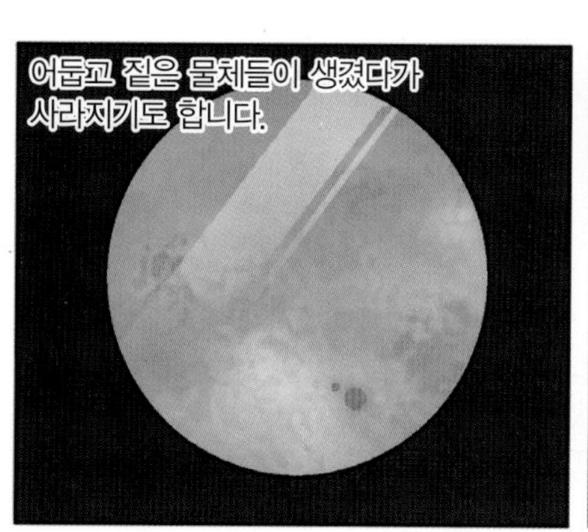
어둡고 검은 물체들이 생겼다가
사라지기도 합니다.

어떤 것들은 아프리카와 아시아를
합친 것보다 더 크지요.
에이~ 말도 안 돼.

심플리치오! 아리스토텔레스가 이것들을 보았다면 뭐라고 말했을 것 같나요?
헉!
쾅

또한 혜성은 잘 알다시피
태양계의 끄트머리에서 태양 근처를 찾아온 작은 천체입니다.

어떤 것은 기다란 타원 궤도를 돌며 주기적으로 태양을 돌기도 하고,
빙글
Hi-
빙글

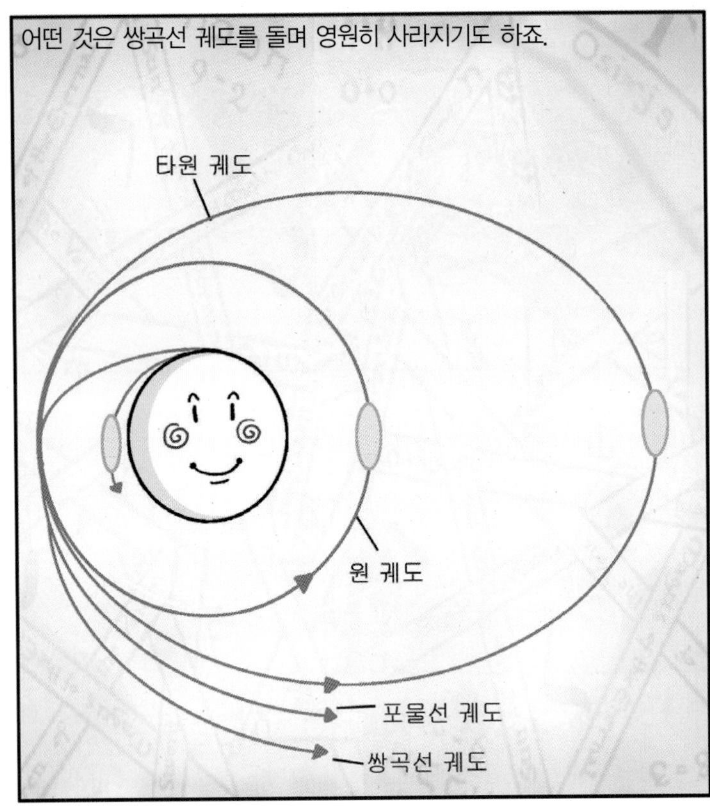
어떤 것은 쌍곡선 궤도를 돌며 영원히 사라지기도 하죠.
타원 궤도
원 궤도
포물선 궤도
쌍곡선 궤도

혜성의 관측은 아주 오래되었습니다.
슈우웅
혜성이 하늘의 물체인데 나타나기도 하고 사라지기도 합니다.

휙
그러니 하늘이 영원불변은 아닌 것입니다!
으윽!
깜짝!

살비아티가 말한 두 개의 새로운 별이 뭔지 알고 있어?

그건 초신성이야. 초신성이란 별이 일생을
마치면서 일으키는 엄청난 폭발이야.
콰광

이때 그 별은 엄청난 빛을 내기
때문에 갑자기 밝아지지.

그래서 거의
보이지 않다가
대낮에도 볼 수
있을 만큼
환해져.

초신성은 새로 만들어진 별이 아니라
갑자기 밝아지는 별인 셈이지.
태양권!!
번쩍

초신성은 아주 희귀해서
관측하기가 힘들어.
날이면 날마다
오는 게 아니야!
흠

하지만 역사상 여러 개의 초신성
관측 기록이 남아 있지.
어, 저기
초신성이다!
후후~ 내가 좀
인기가 있어.
후후

살비아티가 말한 새로운 별이란
덴마크의 천문학자 브라헤가 1572년에 발견한 초신성과
독일의 천문학자 케플러가 1604년에 발견한 초신성을 말해.
브라헤
케플러
우리의
발견은 하늘이
영원불변
이라는
아리스토텔레
스의 이론에
큰 충격을
주었어.

그냥 좀 넘어가자.
왜들 그렇게
태클이야!
하하….
철퍽

살비아티가 제시한 마지막 예, 태양 표면의
어둡고 짙은 물체란
흑점을 말해.

천체 망원경으로 태양의 흑점을
맨 처음 관찰하고 연구한 사람이
바로
나야!

여기서 잠깐!
천체 망원경으로 태양을
직접 들여다보았다가는
아주 큰일이 나!

햇빛이 너무 강해서 눈이 상하거든.
태양은 맨눈으로도 오랫동안 쳐다보면
안 돼.
이봐, 위험해!
탁

천체 망원경으로 태양을 관측할
때에는 햇빛을 약하게 만드는
필터를 부착해야 해.

아니면 태양이 구름에 가려지거나 아침
저녁에 햇빛이 약할 때 관측해야 해.
스윽

그렇게 하면 흑점을 볼 수
있을 거야.
우아~ 흑점이
보여요!
와아~

현대의 천문학자들은 태양의
흑점이 주변보다 어둡고
차가운 부분이라는
사실을 밝혔어.

그리고 태양의 자기장과 관계가
깊다는 사실도 알려졌지.
난 이런
구체적인 사실은
알지
못했지만….

흑점이 태양 표면에서 생기는
현상이고, 생겼다가 사라지며,
마돈나
like a virgin

태양 표면을 이동한다는 사실은
정확히 알고 있었지.
사삭
가짜 점
아니야.

또 흑점이 아주 크다는 것도 사실이야.
작은 것은
1500km에서
큰 것은
수만km에
이르죠.

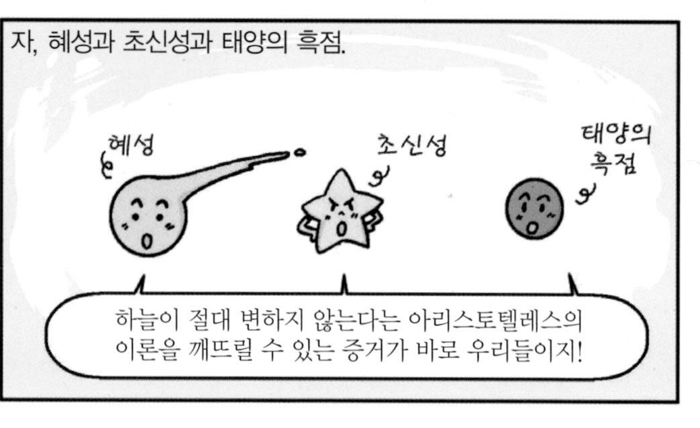
자, 혜성과 초신성과 태양의 흑점.
혜성
초신성
태양의
흑점
하늘이 절대 변하지 않는다는 아리스토텔레스의
이론을 깨뜨릴 수 있는 증거가 바로 우리들이지!

심플리치오의 입장은 어떻게 되었을까?
휙
하늘이 영원불변은 아닌 것입니다.
으윽!
으윽

하지만 아리스토텔레스의 영향력이 그리 쉽게 허물어지지는 않아.
후후후후.

심플리치오는 이렇게 변명하지.
혜성의 거리를 측정한 천문학자들은 자신들의 결과에 발목을 잡히고 말았습니다.
오~

시차를 써서 계산한 혜성의 거리가 들쭉날쭉했잖아요.
더 멀잖아!
왜 이렇지?

마침내 그들은 혜성이 지구에 속하는 것이라고 시인을 하며 아리스토텔레스 편이 되었습니다.
우리의 이론이 잘못된 걸까?
아리스토텔레스가 옳은 것 같아!

새로운 별들이 하늘에 있는 물체라는 믿을 만한 증거는 없습니다.
쓱

천체에 어떤 변화가 일어났다는 것을 증명하려면 오래 전부터 관측해서
우어우어(저 별은 나의 별 저 별은 너의 별).

하늘에 있는 물체임을 의심할 여지가 없는 천체가 그런 변화를 일으켰음을 보여야 합니다.
저 별 아직도 있어!

마지막으로 태양의 검은 점이란 것은 사람들이 꾸며낸 것이거나,
천체 망원경에서 뭔가 헛것을 본 거예요.

아니면 공기 중에서 뭔가 생긴 것을 태양 표면에서 생긴 변화라고 주장하는 것이겠지요.
히히히~
둥둥

한마디로 그런 것들은 하늘의 물체와 전혀 상관없는 것이에요.
툭
한마디로 잘못 본 거죠!

정말 교묘하게
어려운 상황을
빠져나가는군!
아니, 나는 나 자신의
솔직한 심정을 이야기하고
있는 겁니다.
찌릿
흥

2,000년 이상 모든 사람의 생각을
지배해온 아리스토텔레스의 영향력 때문에
나 때문에
다른 생각을
할 수 없었던
거야.

사실 새로운 변화를
받아들일 수 없을 뿐이지.
절레
절레

자신과 생각이 다른 상대를
이해시킨다는 것은 어려운 일이야.
이처럼 힘든 거로군.
흥

하하하하, 정말 힘든 일이야.

나는 지동설을 주장하기 위해
수많은 자료를 조사하고
흠

열심히 천체를 관측했어.
또한 내 관측이
신뢰할 만한
것인지 검증도
했어.

또한 태양의 흑점을 수박 겉핥기
식으로 연구한 것이 아니야.
정말
열심히
했다고.

나를 대변하는 살비아티의 다음 설명에서
그걸 느낄 수 있을 거야.
흠, 흠….

태양의 검은 점의 모양과 속력의 변화를 살펴보면 이것이 태양의
표면에서 일어난다는 것을 알 수 있어요.
다닥…
둥둥

또 태양의 중심에서는 커다랗지만
가장자리로 갈수록 가늘어집니다.

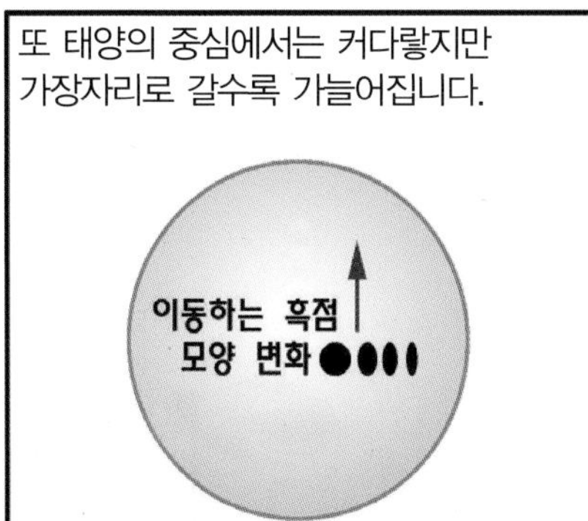

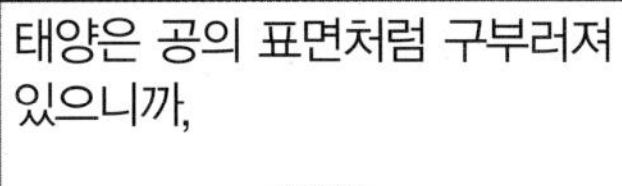

태양은 공의 표면처럼 구부러져
있으니까,

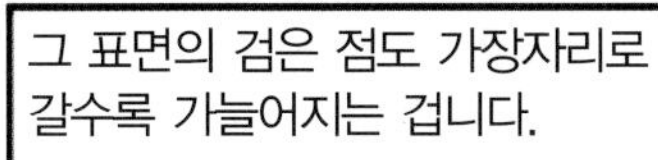

그 표면의 검은 점도 가장자리로
갈수록 가늘어지는 겁니다.

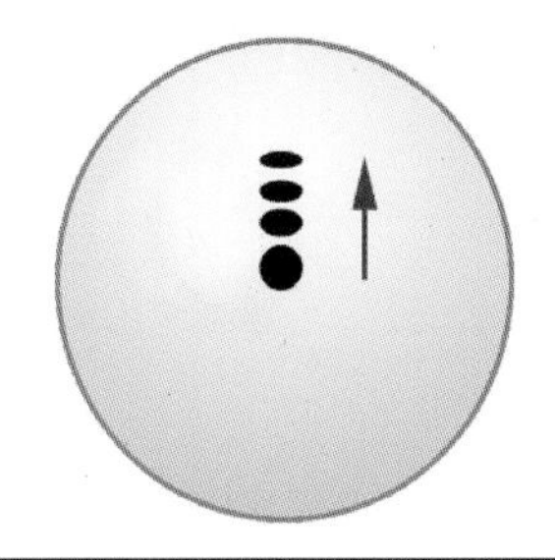

또 검은 점의 정체가 태양에서
멀리 떨어져 태양 둘레를 도는
둥근 물체라는 주장은 틀립니다.

만일 그렇다면 이 물체가 태양의
중심에 있을 때나

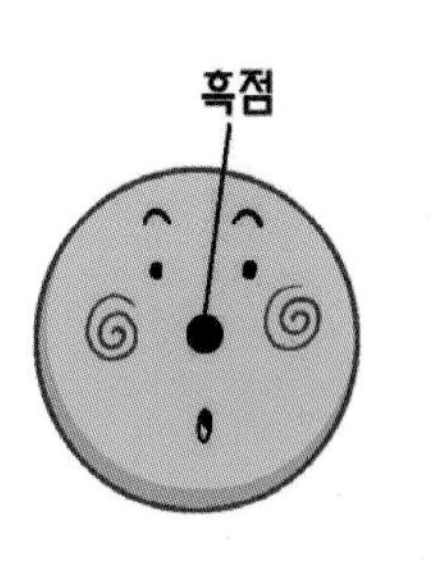

가장자리에 있을 때나 모두 둥글게
보일 거예요.

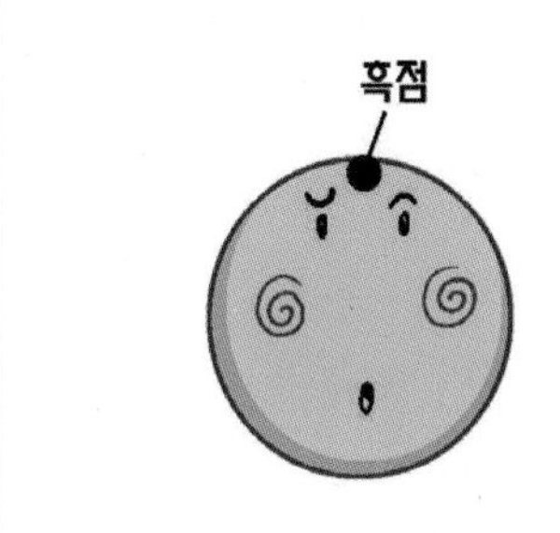

공은 어느 쪽에서 보든 모양이
똑같잖습니까.

흑점이 이동할 때 모양이 변한 것처럼
보이는 것으로 알 수 있는 건

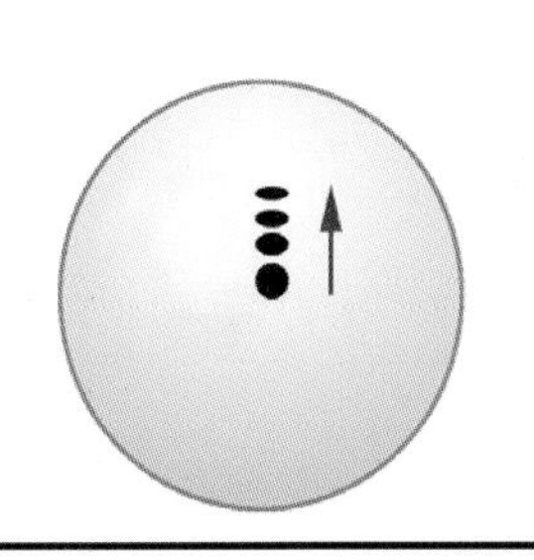

살비아티의 이런 설명에도 소용이 없었어. 왜냐하면 그때의 관측 기술이 아직 열악해서 모든 사람이 인정하기에 만족스러운 결과를 내지는 못했거든.
뭐라는 거야….
후비적
으으… 내 설명 안 듣고 있는 거냐?
부글
부글

그게 아니라 그건 이론이 그렇다는 거지, 실제로 그런지 확실한 결과로 증명할 수 없지 않습니까?
크윽….
뜨끔

특히 천체의 거리를 잴 수 있는 방법이라고는 기껏해야 별의 시차를 이용해 삼각 측량을 이용하는 것이었는데,
스윽
삼각 측량이란 서로 멀리 떨어진 각각의 지점에서 각도를 관측하여 각각의 위치 관계를 수치적(數値的)으로 정하는 하나의 측량 방법이야.

별처럼 먼 거리를 측정하기에는 오차가 너무 컸어.
철퍽

만일 현대의 천문학자처럼 달과 혜성과 태양 그리고 초신성의 거리를 정확히 측정할 수 있었다면,

소요학파 사람들을 충분히 설득할 수 있었을 텐데 말이야.
호 호 호
후후~ 과연 우리 소요학파 사람들을 설득시킬 수 있을까?

아, 불쌍한 살비아티….
아… 살비아티는 나를 대신해 주는 것이니 실제로는 내가 불쌍한 거지?

머릿속에서는 우주의 실체를 누구보다 올바르게 그릴 수 있었지만,

현실적으로는 그것을 뒷받침할 수 있는 확실한 증거를 얻을 수 없다니!
심증은 가는데 물증이 없어… 흑!
털썩

지구와 달은 서로 다른가?

나 갈릴레이는 천체 망원경으로
밤하늘을 관측한 첫 과학자야.

그런데 천체 망원경으로 달을 관측하다 그만 깜짝 놀라고 말았어.
아니, 이럴 수가!

달 표면이 매끈하지 않고 울퉁불퉁했던 거야. 거칠고 높은 산과 평평하고 낮은 바다 그리고 둥근 테두리를 지닌 크레이터.

아리스토텔레스는 달을 비롯한 천체에 대해 이렇게 말했었어.
지구와 달리 매끄럽고 완전한 공 모양을 이룬답니다!

왜냐하면 지구와 하늘이 다르기 때문이지요.

하지만 이러한 나의 관측 사실이 아리스토텔레스의 주장을 반박할 수 있는 좋은 증거라고 생각했지.
바로 이거야!

갈릴레이는 자신이 관측한 달 표면의 모습을
좋아, 지금 달의 모습을 그려보는 거야!

여러 장의 스케치로 남기기도 했어.
자, 내가 그린 그림을 봐!

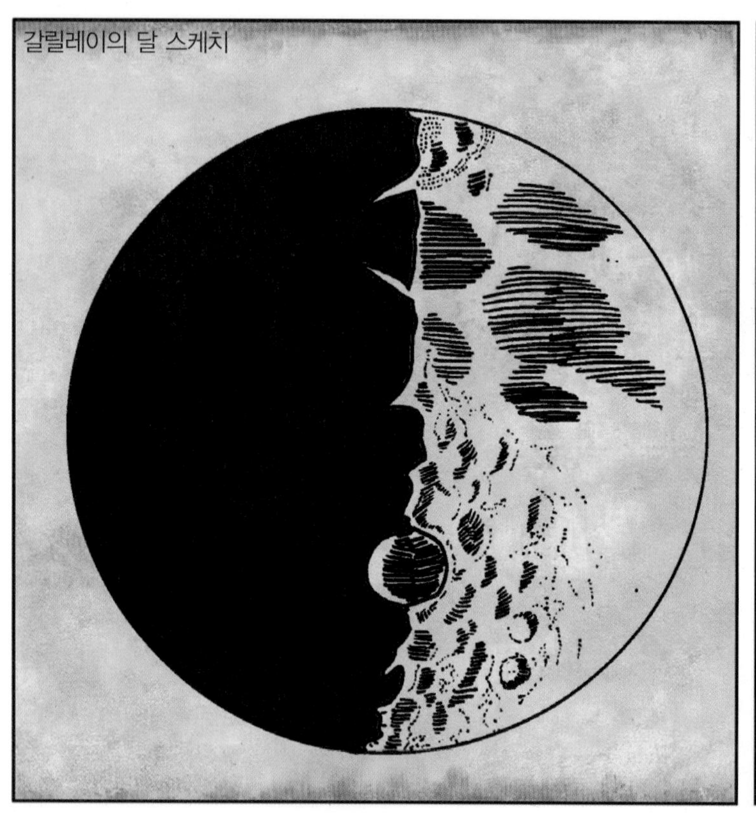

셋째, 달을 구성하는 물질은 지구를 구성하는 물질처럼 단단합니다.

그 증거는 달의 표면이 울퉁불퉁하다는 거죠.

아마 지구가 달보다 훨씬 크니까 지구가 비추는 빛이 달빛보다 훨씬 밝을 겁니다.

응, 지구조란 지구에서 반사한 햇빛이 달을 비추는 현상이야.

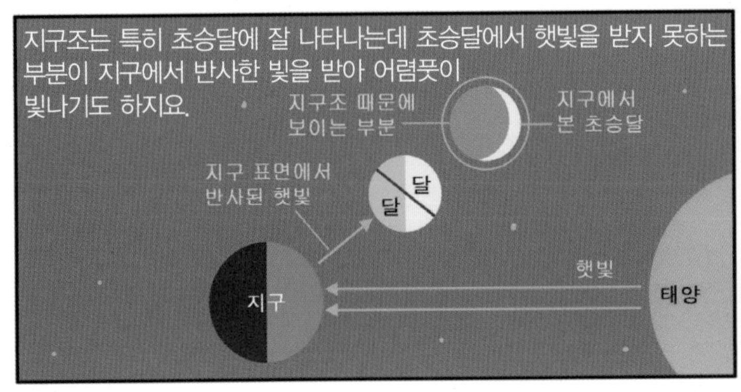

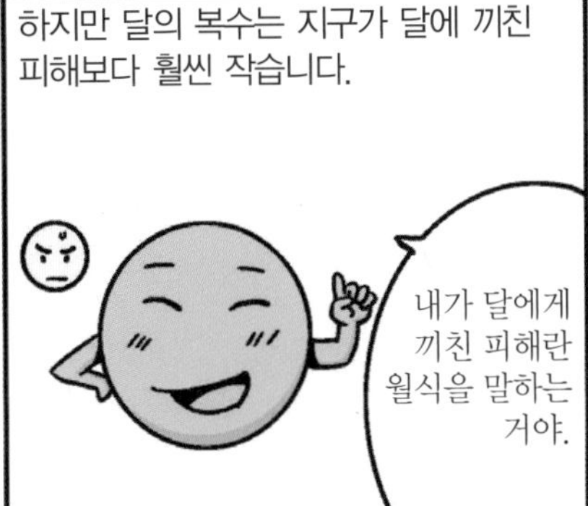

달은 오랫동안 지구의 그림자에
파묻히지만

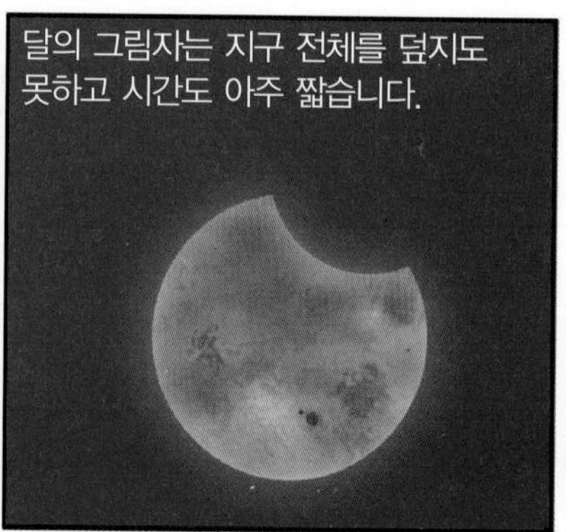
달의 그림자는 지구 전체를 덮지도
못하고 시간도 아주 짧습니다.

이 일곱 가지 사실을 통해 내가
하고자 하는 말이 무엇인지
알겠지요?

…
….

저의 주장은
간단합니다.
이처럼 지구와 달이 비슷한 점이
많다는 것은 지구와 하늘의 물체가
다르지 않다는 뜻입니다!

만일 이것이 사실이라면
아리스토텔레스 우주 체계의
근본이 흔들리게 돼.
흔들
아리스토
텔레스의
우주 체계
흔들
흔들

저도… 달이 공처럼 둥글고 단단하다는 것,
달에서 보면 지구도 차고 기운다는 것,
그리고 서로 햇빛을 가리기도 한다는
것에는 동의를 합니다.
후후,
그럴 줄
알았어!

하지만 심플리치오는 대부분의
주장에는 반대했어.
하지만!
뭐가 또
하지만이야!

그 이유는 첫째, 달은 햇빛을
반사할 뿐 아니라 스스로
빛을 낸다는 거지.
지구는 아주
거칠고 어둡기
때문에 햇빛을
반사할 수
없습니다.

초승달에서 햇빛이 닿지 않는 부분이 어렴풋이 빛나는 것은 지구조 때문이 아니라는 거야.
대신 달이 스스로 빛을 내고 있습니다.

둘째, 달의 표면은 울퉁불퉁하지 않고 매끄러운 거울처럼 광택이 난다고 했어.
왜냐고요?
미끄덩~

그래야 햇빛을 잘 반사할 수 있단 말입니다.

살비아티, 당신이 말한 달 표면의 여러 지형들은 모두 헛것입니다.
뭐라고?

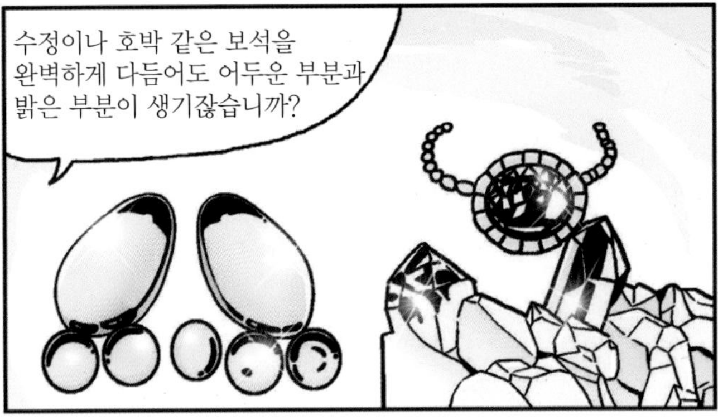
수정이나 호박 같은 보석을 완벽하게 다듬어도 어두운 부분과 밝은 부분이 생기잖습니까?

달 표면의 지형도 보석에 음영이 생기기 때문에 울퉁불퉁한 것처럼 보이는 것입니다.
오~.
짝-짝-

나는 천체 망원경으로 달의 표면을 자세히 들여다보았어.
그래서 달의 표면이 울퉁불퉁 하다는 것을 알고 있었지.

하지만 그때까지만 해도 천체 망원경으로 달을 들여다본 사람이 많지 않았기 때문에 그런 사실을 믿기 어려웠지.
사실 천체 망원경으로 달을 본 사람은 요즘도 많이 없을 거야. 그저 사진을 통해 봤을 뿐이겠지!

아마 심플리치오가 천체 망원경으로 달을 들여다보았더라도
음….

달의 표면이 울퉁불퉁하다는 사실을 믿기 어려웠을 거야.
상식적으로 생각해 봐도 거친 표면이 빛을 더 잘 반사한다는 것이 말이 됩니까?

마치 바나나가 과일이라고 생각하는 것과 같아.
바나나

그래서 살비아티는 한 가지 실험으로 그것을 증명했어.
좋아. 그럼, 거친 벽이 거울보다 밝다는 것을 보여주는 실험을 해 보자고!
슥

바나나는 풀이야!
쩝
쩝

달의 표면이 그처럼 거칠다면 어떻게 햇빛을 잘 반사할 수 있을까?
요즘 사람이라도 쉽게 설명할 수 없을걸.

살비아티는 사그레도와 심플리치오와 함께 벽에 걸린 거울을 들고 밖으로 나갔어.
날 따라오세요!
아… 정말 귀찮아. 말이 되는 소리를 좀 하라고.
…
저벅
저벅

심플리치오에게 이렇게 물었어.
심플리치오, 말해 보게. 자네가 거울이 걸린 저 벽을 그림으로 그린다면 거울과 벽 중에서 어느 쪽을 더 어두운 물감으로 칠하겠나?

당연히….
쳇, 사람들 없다고 말 놓고 말이야.

엉?

심플리치오는 당황했지. 틀림없이 거울이 더 빛을 잘 반사할 줄 알았는데 거울보다 벽이 더 환하니 말이야.
번쩍
번쩍
이… 이럴 수가!
후후후.

하지만 눈앞에 똑똑히 펼쳐지는 사실을 보고는 아무리 고정관념에 사로잡힌 심플리치오라도 어쩔 수 없었어.
다시 한 번 묻겠네. 거울과 벽 중에서 어느 쪽을 더 어두운 물감으로 칠할 것인가?
그… 그것은….

심플리치오는 거울을 더 어둡게 칠해야 한다고 대답할 수밖에 없었지.
거울입니다….

뭐라고? 거울이 벽보다 더 어둡다는 사실을 여러분도 믿을 수 없다고?
그럼 잠시 보충 설명을 해 볼게.

햇빛 아래에서 거울놀이를 해 보지 않은 사람은 없을 거야.
햇빛을 거울에 반사시키면 밝은 빛줄기가 뻗어나가지.

너무 눈이 부셔 쳐다보지도 못해. 그것은 거울의 표면이 아주 매끈해서 빛을 잘 반사하기 때문이야.
촤악—
윽, 눈부셔!

그런데 한번 잘 생각해 봐.
거울에서 반사한 빛은 한쪽 방향으로만 나아갈 뿐 다른 방향으로는 나아가질 않아.

그러니 각도가 조금 틀어진 곳에는 햇빛이 도달하지 않아 어둡게 보여.
이차!
사삭

한편 벽처럼 거친 표면에서는 햇빛이 난반사를 해.
벽에 부딪친 햇빛이 사방으로 퍼져나간다는 뜻이지.

그렇기 때문에 벽은 사방에서 골고루 환하게 보여.
물론 거울에서 한쪽 방향으로 뻗어나간 햇빛을 볼 때보다는 비교할 수 없이 어둡지만 말이야.

달도 마찬가지야.

만일 달이 매끈한 거울과 같다면 어느 한쪽에서는 눈이 부실 정도로 밝게 보일 거야.
윽, 저게 달이야, 태양이야?

하지만 대부분의 각도에서는 아주 어둡게 보이겠지.
괜찮은데…

우리가 생각하는 것과 달리 달은 표면이 울퉁불퉁하기 때문에 어느 곳에서든지 밝게 보이는 거야!
저 잘하고 있는 거죠?
그럼~

이제 울퉁불퉁한 표면이 어떻게 빛을 반사할 수 있는지 심플리치오의 의문도 풀렸어.
휴, 인정할 수밖에 없잖아!
흥

그렇다면 지구에서 반사한 빛이 달을 비출 수 있다는 것도 당연히 인정할 수밖에 없지 않을까?
자, 그럼 지구조에 대해 인정하겠지?

그렇지 않아. 심플리치오는 궁여지책으로 위기를 모면하려고 했어.
….

제가 최근에 읽은 어떤 책에는

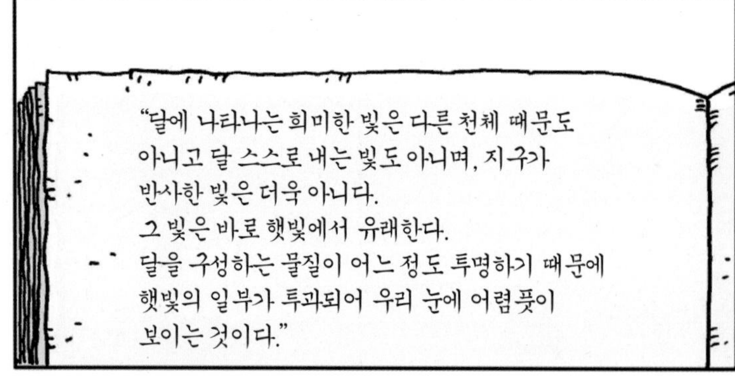
"달에 나타나는 희미한 빛은 다른 천체 때문도 아니고 달 스스로 내는 빛도 아니며, 지구가 반사한 빛은 더욱 아니다.
그 빛은 바로 햇빛에서 유래한다.
달을 구성하는 물질이 어느 정도 투명하기 때문에 햇빛의 일부가 투과되어 우리 눈에 어렴풋이 보이는 것이다."

…라고 나왔어요.
후 후 후
….

어때? 심플리치오의 주장 하나하나가 결코 만만치 않지? 아마 우리도 쉽게 반박하기 어려울 거야. 그럼 살비아티가 어떻게 되받아치는지 알아보자고.
달에서 나오는 어렴풋한 빛이 태양에서 나와 달을 통과하여 우리에게 오는 빛이라고 생각해 보세.

그 빛이 우리 눈에 들어오려면 태양과 달과 지구가 일직선 위에 있어야 할 거야.

그렇다면 초승달에 생기는 어렴풋한 빛은 어떻게 설명하겠나?
척
초승달은 태양에서 20~30도나 벗어나 있는데 말이야!

그러니까 달의 어렴풋한 빛은 지구에서 반사된 빛일 수밖에 없다는 것이 나의 요점일세!
그건 ….

또한 지구에서 햇빛을 잘 반사하는 곳은 바다가 아니라 육지야!

거울보다 벽면이 더 환하게 보이는 것처럼 바다보다 육지가 더 울퉁불퉁하기 때문에 햇빛을 골고루 반사한다는 것이지.

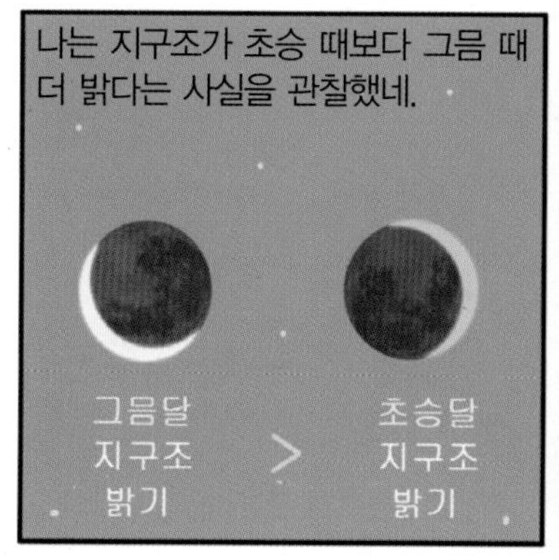
나는 지구조가 초승 때보다 그믐 때 더 밝다는 사실을 관찰했네.
그믐달 지구조 밝기
>
초승달 지구조 밝기

그러니까 해가 뜨기 전 동쪽 하늘의 그믐달 지구조가

해가 진 후 서쪽 하늘의 초승달 지구조보다 밝다는 거야.

자, 이제 심플리치오가 달에 대해 가지고 있던 의문은 거의 풀렸어.

크윽!

그러다가 보름달이 되면 그림자들이 완전히 사라지지. 반대의 경우를 생각해 볼까?
이번엔 햇빛이 반대쪽에서 비추게 되면 어떻게 될까?

앞에서 본 산의 그림자들이 반대 방향으로 나타나지.
심플리치오 자네가 말한 것처럼….

달 표면의 얼룩무늬가 투명하고 불투명한 물질이 섞여 있기 때문에 생기는 것이라면,
이런 다양한 모습이 나타나지 않을 걸세.

아침에는 그림자가 길고 태양이 점점 높아질수록 그림자가 짧아지지. 그리고 남쪽 하늘을 지나 태양이 점점 낮아질수록 그림자는 다시 길어지기 시작해.

살비아티는 우리 주변에서 흔히 볼 수 있는 이런 현상을 이용해 달의 표면에 높은 산이 있다는 것을 증명한 거야.
아리스토텔레스의 이론과 달리 달은 지구와 크게 다르지 않다는 것을 말하는 거지.
크윽.

그렇다고 몇 가지 증거들로 심플리치오 같은 소요학파 사람들을 설득할 수는 없을 거야.
아직 증거가 부족하다고 생각합니다.

다만 지금까지 어떤 근거도 없이 막연한 권위에 의지하여 옳다고 믿어져 왔던 헛된 이론에 대해
권위
반박할 수 있는 시기가 왔다는 데 큰 의의가 있는 거야.

그렇게 요지부동하던 심플리치오도 살비아티의 명확한 실험 결과에 움찔거리기 시작했잖아.
그 사실만으로도 큰 위안을 삼을 수 있지 않을까?

나도 아직까지 설명할 수 있는 것보다 설명할 수 없는 것이 더 많거든.
내가 아무리 뛰어나도 장비가 없으니….
벅벅

이제 첫째 날 이야기가 모두 끝났어.
좀 쉬었다가 둘째 날 이야기로 들어가 보자고!
털썩

제4장
둘째 날 이야기

자, 이제
둘째 날이 밝았어.

살비아티와 심플리치오와 사그레도,
이 세 사람은 다시 모여 이야기를 시작했지.
웅성
웅성

먼저 사그레도가 첫째 날 이야기의
요점을 정리해 이렇게 말했어.
조용히
하세요.
어제 있었던
이야기를
정리해
드리겠습니다.

첫째 날에 나눈 이야기는
준비 단계라고 소개했지.
다음 두 가지
이론 중에서 어떤
것이 더 합리적인
이론인지
밝히려는 준비
단계였습니다.

첫째 이론은 심플리치오가
소개할 거야.
심플리치오,
말씀해 주시죠!

흠흠. 지구의 물체는 생성하고 소멸하는 원소로 이루어져 있지만, 하늘의 물체는 영원불변한 다섯 번째 원소로 이루어져 있다는 것입니다.

두 번째 이론은 살비아티가 소개했어.
살비아티, 말씀해 주시죠!

지구와 하늘의 물체는 서로 다르지 않다는 것인데, 그 후 우리는 지구와 달을 비교하여 서로 비슷한 점들을 살펴보았습니다.

네, 결국 우리는 두 번째 이론이 더 그럴듯하다고 결론을 내렸습니다.

그런데 살비아티는 그렇게 생각하지 않았어.
음….

좀 더 냉철하게 생각했지.
사그레도!
네?

지구와 하늘의 물체가 같은 성질을 갖고 있다는 이론이 옳다고 결론을 내린 것처럼 말하는데 그건 잘못입니다.

살비아티는 아무런 결론도 내리지 않았다고 했어.
네?

내가 하려는 것은 여러 이론과 그에 대한 반박을 하려는 것이 아니라 어느 한쪽에 치우치지 않고 단지 소개하려는 겁니다.
오~.

한 이론의 옳고 그름에 대한 판단은 다른 사람들이 결론지어야 할 일이기 때문이라고 말하는 거야.
저는 그저 제 주장만을 할 뿐입니다.

자신의 주장을 옹호하는 의견을 거부하다니, 살비아티는 정말 대단하지 않아?
하하, 뭘 그 정도 가지고….
척

어떻게 보면 그것이 진정한 과학자의 자세일지도 몰라.
흠
과학자는 냉철해야 하거든.

자신의 견해를 억지로 주장하다 보면 자신도 모르게 오류에 빠질 수도 있어.
심플리치오 처럼 말야!
쳇!
휙

자신과 상대의 주장을 객관적으로 판단하기 위해 어떤 편견을 가져서도 안 되거든.

둘째 날의 주제는 '지구의 자전'이야. 요즘 사람은 누구나 지구의 자전을 믿고 있어.
그런데 가만 생각해 봐.

학교에서 듣거나 책을 읽고 배우지 않았다면 지구의 자전을 알 수 있었겠어?
아마 없을 거야!

일상생활에서는 지구의 움직임을 전혀 느낄 수가 없거든.
그러니 옛날 사람들은 어땠겠어?

당연히 옛날 사람들은 태양과 달과 별이 지구 둘레를 돈다고 믿었지.
지구가 도는 게 아니라 하늘이 도는 거야!
지구는 모든 것의 중심이니깐!

고대 그리스의 위대한 철학자 아리스토텔레스가 말했어.
지구는 우주의 중심이며, 꼼짝 않고 움직이지 않습니다!

저렇게 주장한 것도 무리는 아니었어.
좋은 관측 장비가 있길 해, 인터넷이 되길 해.

한편, 아리스토텔레스 시절부터 근근이 이어져 내려오던 지동설은 코페르니쿠스로 인해 세상에 드러나게 돼.
나 코페르니쿠스라는 위대한 천문학자에 의해 다시 세상에 드러나게 되었지.

그 뒤를 이어 나 갈릴레이가 관측을 바탕으로 지동설의 증거를 제시하게 된 거야.

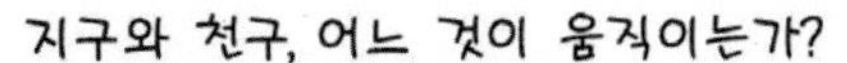
지구와 천구, 어느 것이 움직이는가?

오늘은 제가 주장하는 지동설 이론의 증거를 제시하겠습니다!

이 책에서 살비아티는 지동설의 증거로 모두 일곱 가지를 제시하고 있어.
이 증거는 천동설의 불합리함을 보여 주는 것이기도 하지.

첫째, 천구는 지구에 비해 아주 큽니다.
오~.
오~.

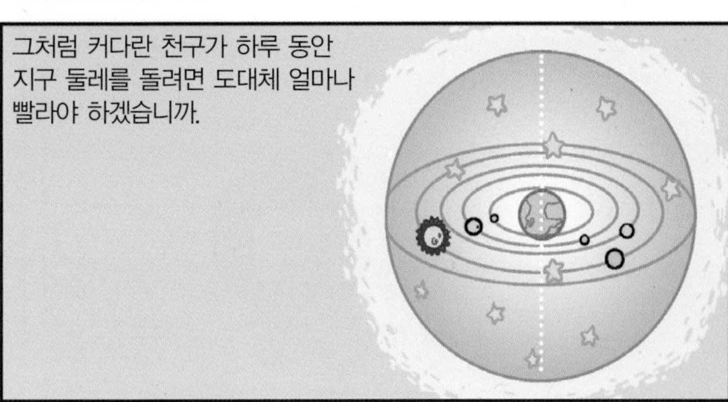
그처럼 커다란 천구가 하루 동안 지구 둘레를 돌려면 도대체 얼마나 빨라야 하겠습니까.

이것도 되고 저것도 된다면 구태여 어려운 것을 택할 필요가 없죠.
제가 공을 올리고 도는 것보다 공을 돌리는 것이 쉽죠.

이처럼 거대한 천구가 도는 것보다 지구가 도는 것이 효율적이고 이치에 맞지 않겠습니까?
뱅글

둘째, 만일 천체가 움직이는 것이 사실이라면

누구야! 천체가 움직인다고 한 게!
다 다

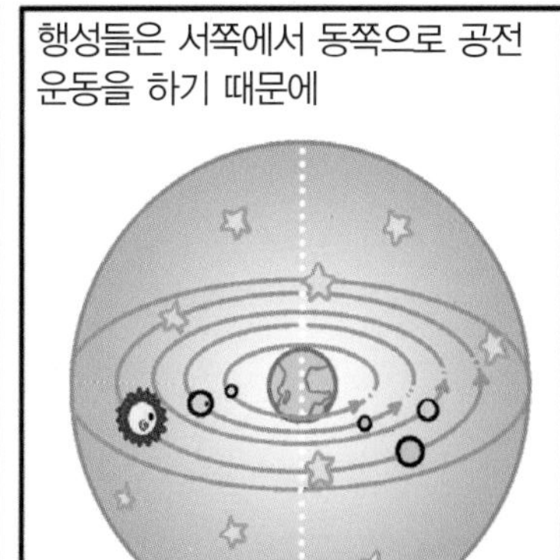
행성들은 서쪽에서 동쪽으로 공전 운동을 하기 때문에

그 속도는 아주 느리죠.
인생 느긋하게 살자고~.
느릿
느릿

그런데 별들이 하루에 한 번씩 동쪽에서 떠서 서쪽으로 진다면 문제가 있어요.
그건 천체들이 행성들의 공전 방향과 반대 방향으로 아주 빠르게 움직여야 한다는 거죠. 헉헉!
다
다
다

더구나 소요학파에서는 하늘에는 반대의 성질이 없기 때문에 반대 방향의 운동도 없다고 주장하지 않습니까.
그러니 행성과 별들(천구)이 서로 다른 방향으로 돈다는 것 자체를 인정하면 안 되는 것이죠.
오오~.

지구의 자전을 인정한다면 이런 모순이 쉽게 해결되는데 말입니다.
그럼, 그냥 내가 돌게.
정말? 그건 정말 합리적인 일이야!
털썩

셋째, 천구의 회전 운동에도 어떤 질서가 있을 겁니다.
만일 천구가 회전한다면 이 질서가 깨진다 이겁니다.

여기에서 말하는 질서란 회전 속도에 관한 질서죠.
다다
다다
토성

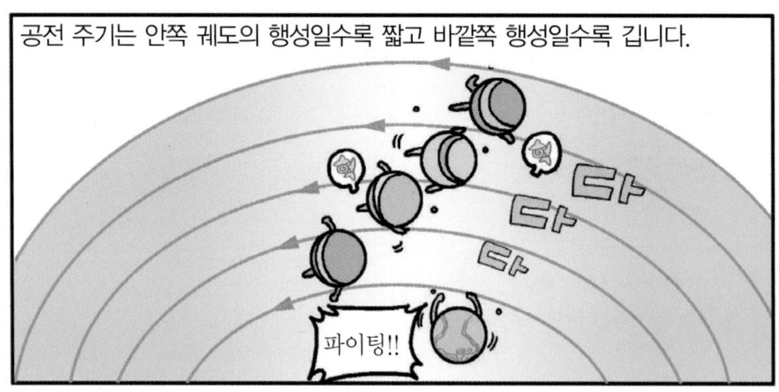
공전 주기는 안쪽 궤도의 행성일수록 짧고 바깥쪽 행성일수록 깁니다.
다
다
다
파이팅!!

목성의 공전 주기는 토성의 공전 주기보다 짧지요.
내가 도는 시간이 당연히 짧겠지!
칫, 네가 더 가까우니까!
토성

그러니 토성보다 훨씬 더 먼 곳에 있는
별들의 공전 주기는 어떻겠어요?
명왕성
더 길겠지.
토성
다다다…

그런데 행성을 비롯한 모든 천체들이 똑같은 주기로 하루에 지구 둘레를 한 번 돈다라는 것이 말이 될까요?
말이 안 된다는 거죠.

넷째, 별들의 회전 속도가 너무 차이난다는 것이 지동설을 주장할 수밖에 없게 만듭니다.

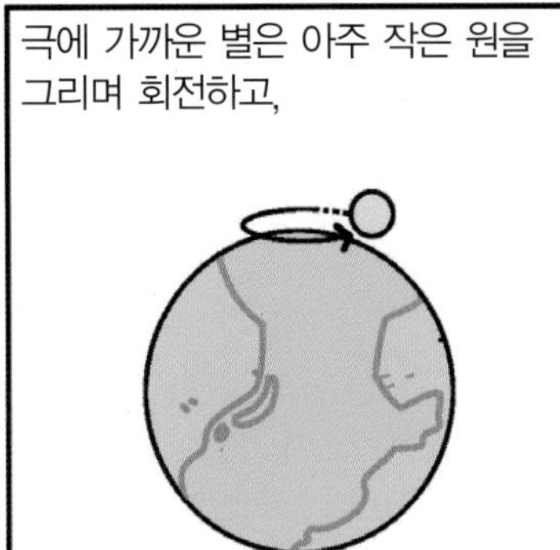
극에 가까운 별은 아주 작은 원을 그리며 회전하고,

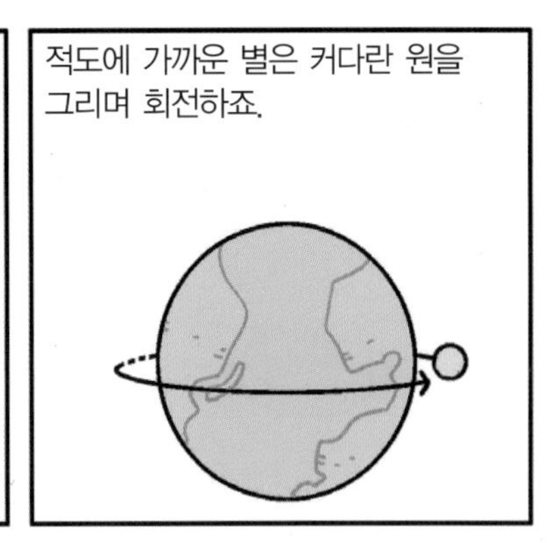
적도에 가까운 별은 커다란 원을 그리며 회전하죠.

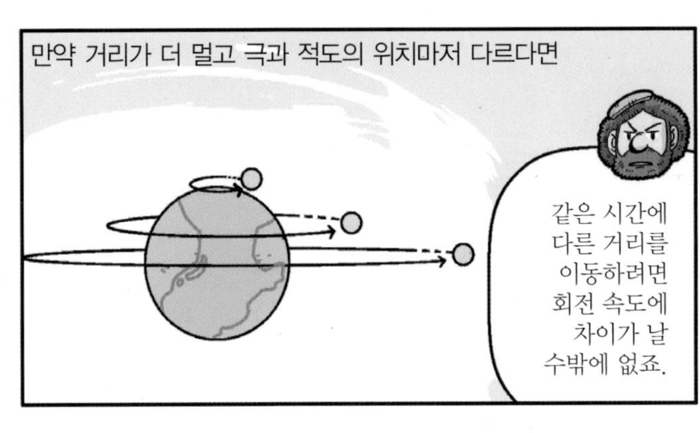
만약 거리가 더 멀고 극과 적도의 위치마저 다르다면
같은 시간에 다른 거리를 이동하려면 회전 속도에 차이가 날 수밖에 없죠.

작은 지구 하나 때문에 별들의 회전 속도가 이렇게 차이 난다는 것은 너무 비효율적입니다.
그냥 지구가 돌면 이러한 비효율적인 문제는 자연히 해결되기 때문입니다.

다섯째, 별들의 위치가 바뀌면서 회전 운동의 크기도 달라진다는 겁니다.
별들의 위치가 바뀌다니요?

천문학자들은 2천 년 전에 적도에서 커다란 원을 돌다가
음… 저 별의 위치는….
슥슥

지금은 적도에서 약간 빗겨나서 더 작은 원을 돌고 있는 별을 발견했습니다.
아니,
별의 위치가 달라.

이런 관측 결과를 바탕으로 별의 회전 운동이 이렇게 바뀌는 것을
천동설로 어떻게 설명할 수 있겠습니까?
멈칫

살비아티의 이 주장을 현대 천문학적 입장에서 설명해 볼게.

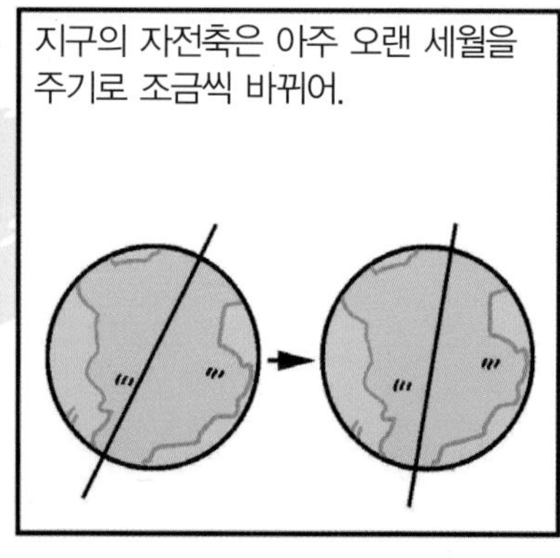
지구의 자전축은 아주 오랜 세월을 주기로 조금씩 바뀌어.

이런 현상을 세차 운동이라고 해.

이 세차 운동 때문에 언젠가는 북극성도 북극에서 멀리 빗겨나게 될 거야.
이봐, 왜 자꾸 멀어지는 거야?
엉엉
벌컥
북극성
너의 자전축이 바뀌기 때문이잖아!

따라서 수천 년 동안 관찰하면 별의 위치도 조금씩 바뀐다는 것을 알 수 있어.
자, 다시 살비아티의 얘기를 들어보자고!

여섯째, 아리스토텔레스는 천구가 아주 단단하다고 했습니다.

별들은 그 단단한 천구에 박혀 있다는 것이지요.
....

저는 그것을 믿을 수가 없으며 오히려 천구가 유체라는 설명이 그럴 듯하다고 생각합니다.

만일 천구가 유체라면 모든 별들이 똑같은 속도로 회전할 수 있겠습니까?
당연히 없겠죠. 그 형상이 정해져 있지 않기 때문이죠.

별들이 유체 속에서 꼼짝 못한다고 설명하는 것은 어렵습니다.
반면, 지구가 자전한다고 설명하는 것이 쉽다 이겁니다.

마지막으로 일곱째인데
이 일곱째가 천동설을 설명하기 가장 어려운 문제입니다.

그것이 무엇이냐면 별들이 하루에 한 번 회전한다고 가정해볼게요.
이 운동을 일으키는 힘은 아주 엄청날 겁니다.

지구보다 훨씬 무거운 별들과 행성들도 움직여야 하니까 말입니다.
휘릭
우라라차!

그런데 어떻게 지구라는 조그만 물체가 그렇게 센 힘에 휩쓸리지 않고 버틸 수 있겠습니까?
내가 무슨 용가리 통뼈도 아니고 말야.

하지만 지구만 움직인다고 가정하면 이러한 문제가 생기지 않습니다.
쿵
쿵
우주
…
지구

우주에 비해 지구는 아주 작기 때문에
우주
툭
꽈당
지구

지구의 자전이 우주에 어떤 영향을 끼치지는 못할 것 아니겠습니까?
…
쿵
쿵
우주

캬~ 얼마나 정교하고 체계적인 설명인가!
비록 우주가 유체에 둘러싸여 있다는 등의 몇 가지 의견은 과학적이지 못하지만….

살비아티는 이처럼 완벽하게 천동설의 불합리함을 꿰뚫고 있었어.
이상이 제가 지동설을 지지하는 이유입니다.

어떤 혼돈 속에서 깨어나는 것 같군요!

하지만 심플리치오는 그렇게 호락호락 넘어가지 않았어.
오히려 신의 힘은 무한하기 때문에 천구를 움직이는 데 드는 큰 힘도 별것 아니죠.
오~.

내 이론은 아리스토텔레스가 가르친 격언에도 일치합니다. 아리스토텔레스도 '간단하게 해서 합당한 결과가 나오면 복잡하게 할 필요가 없다.' 라고 말했잖습니까?

호오~ 심플리치오가 그렇게 옹호하려는 아리스토텔레스의 격언을 예로 들며 공격하고 있군!

후후, 아리스토텔레스의 격언을 인용하면서 중요한 말을 빠뜨렸군요.

아리스토텔레스는 두 가지 이론이 '마찬가지로 좋은 것' 이라고 말했다는 거야.
그러니 두 가지 가설이 모든 면에서 합당한 결과를 낳는지 더 확인해야 합니다.

무슨 말인지 모르겠다는 표정들을 보자 심플리치오가 말했어.
…?

그러니 간단한 이론이라고 무조건 따를 필요는 없다는 거예요.
참 설득하기 힘든 사람이군. 하지만 심플리치오의 태도도 처음과는 많이 달라졌어.

다시 말해서 아리스토텔레스가 '간단한 이론과 복잡한 이론이 모두 옳을 경우 두 가지 모두 가치 있다.' 라고 말했다 이겁니다.
여기서 간단한 이론이란 지동설을, 복잡한 이론이란 천동설을 말할 수 있겠지요.

심플리치오, 맨 처음에는 살비아티의 견해를 무시했지만 이제는 어느 정도 인정하시는 군요.

그게 다 나의 진실한 노력 덕분이지?
흠, 흠, 어찌되었든 ….
흠

소요학파 사람들의 주장도 들어 보자고.
살비아티의 일곱 가지 문제 제기에 대한 저의 답변입니다.

첫째, 만일 지구의 움직임이 지구의 본성이라면 지구를 이루는 물질들도 그런 성질을 가져야 하죠.

하지만 지구의 물질들은 중심을 향해 떨어지는 직선 운동을 할 뿐입니다.
철퍽
철퍽

또 지구가 본성이 아니라 어떤 힘에 의해 움직이는 것이라면 그것은 비자연적인 현상입니다.
비자연적인 현상은 영원할 수 없는데 우주의 질서는 영원합니다.

따라서 지구가 움직인다는 주장은 옳지 않습니다.
!
쿵

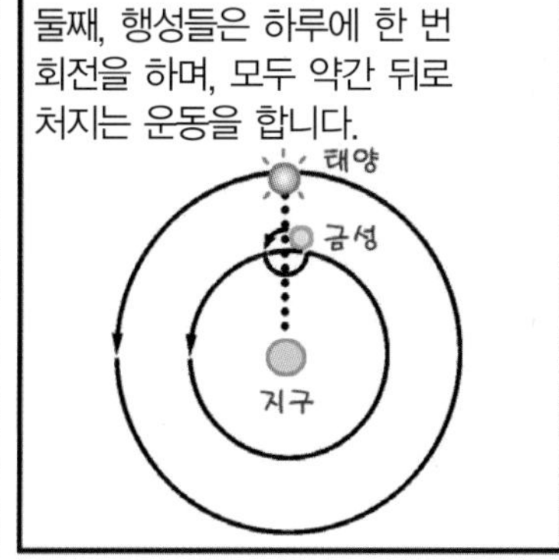
둘째, 행성들은 하루에 한 번 회전을 하며, 모두 약간 뒤로 처지는 운동을 합니다.
태양
금성
지구

다시 말해 두 가지 운동을 하는 셈입니다. 만일 지구가 움직인다면
만일 지구도 움직인다고 가정하면, 지구도 두 가지 운동을 해야 합니다.

하늘에 고정되어 있는 별들의 위치가 달라져야죠. 하지만 실제 그런 현상은 관측되지 않습니다.
별들의 위치가 달라지는 현상은 관측되지 않습니다.
흔들-
흔들-

셋째, 물체는 전체이든 부분이든 우주의 중심을 향해 움직이려는 경향을 가집니다.
그러므로 우주의 중심에 있는 물체는 움직이지 않고 거기에 머무르죠.

아리스토텔레스는 물체는 우주의 중심을 향해 움직인다고 주장했습니다. 그리고 모든 물체는 지구의 중심을 향해 움직이므로 지구는 우주의 중심이라고 말했죠.
마침 지구가 우주의 중심에 있으니까 모든 물체는 지구의 중심을 향해 움직이는 것이지.
흠… 그렇구나.

뭘 근거로 지구가 중심….
아아… 기다려 보세요.
척

넷째, 아리스토텔레스는 실험을 통해 지구가 우주의 중심임을 증명했습니다.
끙-
끙-

무거운 물체를 떨어뜨리거나 위로 던지면 수직으로 떨어집니다.
휙

이것은 물체가 지구의 중심을 향해 움직인다는 것을 알 수 있게 해줍니다.
쿵

지구의 중심은 조금도 움직이지 않으면서 이 물체들을 받아들이는 것입니다.
역시, 지구는 우주의 중심이야!

다섯째, 천문학자들이 관측한 바에 따르면 별들의 움직임은 중심에 있는 지구와 대응합니다.
대응한다는 것은 어떤 일이나 사태에 맞추어 행동을 취한다는 말이죠!

이런 대응 관계는 지구가 우주의 중심이라고 인정해야만 설명할 수 있는 것이죠.
그러므로 천동설을 인정할 수밖에 없는 것입니다.

현재의 상태에서 많은 이득을 취할 수 있는 권리를 기득권이라고 해.

기득권은 그 체제가 바뀌면 무너지게 되지.

아리스토텔레스의 이론은 2천 년 넘게 서양 사회를 지배해 왔어.

유럽

아리스토텔레스의 이론

앞에서 살비아티가 나열한 지구 자전의 증거들은 대부분 천체 현상을 바탕으로 하고 있어.

땅에서처럼 머물지 않고 나도 하늘의 구름처럼 자유롭고 싶어.

기구라니까!!

살비아티는 소요학파 사람들이 어째서 지구의 움직임을 믿지 못하는지 충분히 알고 있었어.

탁

탁

구름이나 새들은 지구에 붙어 있지 않습니다.

스윽

동풍이 엄청나게 불 겁니다. 그뿐 아니라 지구가 자전한다면

쌩

으아아~

쌩

회전하는 물체는 바깥으로
흩어지려는 힘이 생기니까 말입니다.
슈우우
으아아아아~.

오오~ 살비아티의
학문은 정말 견실하군요!!

자신의 주장을 뒷받침하는
주장을 들으니 아주
만족스러워하는군.

하지만 살비아티가 설마 이 설명이
옳다고 말할 리는 없고 어떤 자신감
때문에
오히려 소요학파
사람들의 생각이
잘못되었음을
반박할 자신이
있었기 때문에….

이처럼 여유 있게 상대의 입장을
설명한 것이 분명해.
씨익

배가
정지해 있을 때

돛대 꼭대기에서 돌을 떨어뜨리면
돌이 돛대의 바로 밑에 떨어집니다.
툭

또 배가 움직일 때 돌을 떨어뜨리면
사삭

돛대의 밑에서 먼 곳에
떨어지고요.
툭

거꾸로 생각하면 돛대 꼭대기에서 돌을 떨어뜨렸을 때 돌이 돛대의
바로 밑에 떨어지느냐 아니면 먼 곳에 떨어지느냐에 따라 배가
정지해 있느냐 아니면 움직이고 있느냐를 알 수 있습니다.
움직이는 배
움직이지 않는 배

심플리치오의
주장이 이거
아닙니까?

네, 그렇습니다.

그런데 이 말에
맹점이 있지.

그렇다면
말입니다.

배가 움직이고 있을 때 만일 돛대
꼭대기에서 돌을 떨어뜨려도
사삭

배가 가만히 있을 때와 마찬가지로
돌이 돛대 바로 밑에 떨어진다면,
툭

그 현상을 보고 배가 움직이는지
아니면 정지해 있는지
어? 왜 뒤로
안 떨어지지?
배가 안 움직이는
건가?

알 수 있겠습니까?
아뇨, 전혀
알 수 없죠.

뭐라고? 이게
무슨 말인지 잘
모르겠다고?

그러니까 잘 생각해 보라고 했잖아!
그럼 쉽게
설명해 볼게.

소요학파의 주장은
돛대 꼭대기에서 돌을
떨어뜨렸을 때 돌이 어느
곳에 떨어지느냐에 따라

즉 돌의 위치에 따라 배가
움직이느냐 정지해 있느냐를 알 수
있다고 했어.
돛대 밑은 정지한 배,
돛대 뒤는 움직이는 배.

하지만 배가 움직이더라도 살비아티의 말처럼 돌이 돛대 바로 밑에 떨어진다면 어떨까?
배의 움직임을 판단할 수 없다네~.

이 사실을 지구에 적용해 봐.

돌을 위로 던지거나

아래로 떨어뜨릴 때

소요학파 사람들은

돌이 똑바로 떨어지는 것을 보고

지구가 움직이지 않는다고 주장해.
이러니 지구는 돌지 않는 거란 말야!

하지만 지구가 움직인다 하더라도 돌이 똑바로 떨어진다면
배의 예를 드는 것이 바로 그 이유죠!

그 안에 살고 있는 우리들은 지구의 움직임을 알 수 없다는 거야!
멈춰 있을 수도 있고 움직일 수도 있을 테니 말입니다!

즉 '움직일 수도 있다' 라는 가정을 할 수 있단 말이지!

이제 살비아티는 과연 움직이는 배의 돛대 꼭대기에서 돌을 떨어뜨리면 돌이 똑바로 떨어질 것이냐를 입증해야 해.
웅성
웅성

물론 결과가 살비아티의 말처럼 된다고 하더라도 그것이 지구의 움직임을 증명하진 않아.
그렇다고 해서 쓸데없는 일은 아니란 말이지.

하지만 소요학파 사람들의 이론이
헛되다는 것을 말할 수는 있지.

심플리치오를 비롯한 소요학파
사람들은 배가 움직인다면 돌은
뒤로 떨어질 거라 생각했어.
돌은 뒤로
떨어질 거야!
흥

그러니 뭐
볼 것도 없지!
휙

옛날 사람들은 참 어리석은 것 같아.
실제로 돛에서 돌을 떨어뜨리면
금세 알 수 있을 텐데 말이야.
이, 이봐.
저벅
저벅

하지만 어느 정도는 옛날 사람들을
이해해야 해.
옛날 사람들은
객관적인 지식
을 바탕으로
실험하기보다는
경험을
중요시했어.

일상생활의 경험을 바탕으로
결론을 내리는 경우가 많았거든.
아리스토텔레스야,
상처엔 침을
바르면 나아.
침엔 잡균이
있어서 오히려
안 좋을 수
있어요.

경험은 많은 지식을 줘. 물론 가끔
오류를 범하게 만들지만 말이야.
알았으니까 어여
할미 침 바르자!
괜찮데도요!

아리스토텔레스는 경험 때문에 이런
오류를 범했어.
침은 만병
통치약이야!

하하, 침 얘기는
실제 아리스토
텔레스의 주장
이 아니야.

바람이 없을 때 정지해 있는 배의 돛대
꼭대기에서 깃털을 떨어뜨려 봐.

깃털은 똑바로 떨어져.
스르륵

이번에는 움직이는 배의 돛대
꼭대기에서 깃털을 떨어뜨려 봐.
슈욱

***매질** – 어떤 파동 또는 물리적 작용을 한 곳에서 다른 곳으로 옮겨 주는 매개물.

던진 돌의 경우에는 공기가 바로 그 매질이라는 거야.
긴급발표
돌을 밀었던 매질은
사실 저 공기였습니다.
공기

여러분은 이런 생각을 이해하지 못할 거야.

왜냐하면 이런 생각을 하기도 전에 현대 과학을 배웠거든.
Hi toon

하지만 아리스토텔레스의 이론에 따라 현상을 바라보던 심플리치오는 달랐지.

그래서 움직이는 배의 돛대 꼭대기에서 떨어지는 깃털이 뒤로 밀리는 이유는

바람이 아니라 매질이 밀어서 그렇다고 이해할 수밖에 없었던 거야.
나는 그렇게 배웠는걸.

어때? 여러분이 생각해도 공기가 밀어 주기 때문에 돌이 계속 날아간다는 주장이 터무니없지?

아무리 아리스토텔레스의 영향력이 크더라도
유럽

많은 사람들의 진실한 노력을 막을 수는 없어.
와아—.

그래서 살비아티 같은 사람이 아리스토텔레스의 오류를 지적하게 된 것이지.
…

살비아티는 이렇게 확언했어.
매질이 물체를 밀어 준다는 말은 거짓입니다.

또 돛대에서 떨어지는 물체는 배가 움직인다고 하더라도 돛대의 바로 밑에 떨어집니다!

오~ 살비아티의 주장이 옳다면 뭔가 신기한 현상이 일어나겠군요!
오

아니, 뭘 그렇게 놀라십니까?
하하… 왜 제가 놀라는지 설명 드리지요.

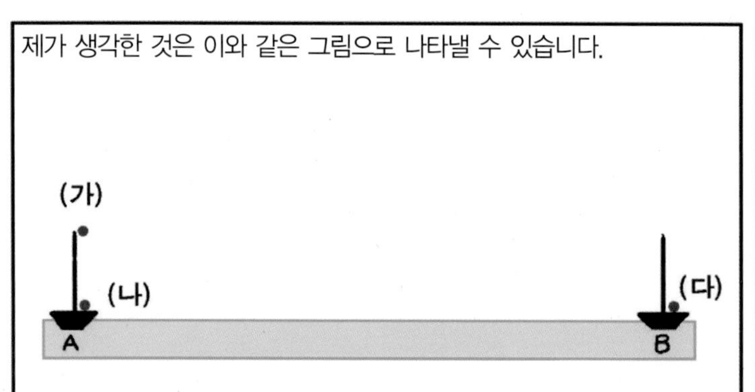

제가 생각한 것은 이와 같은 그림으로 나타낼 수 있습니다.
(가)
(나)
(다)
A
B

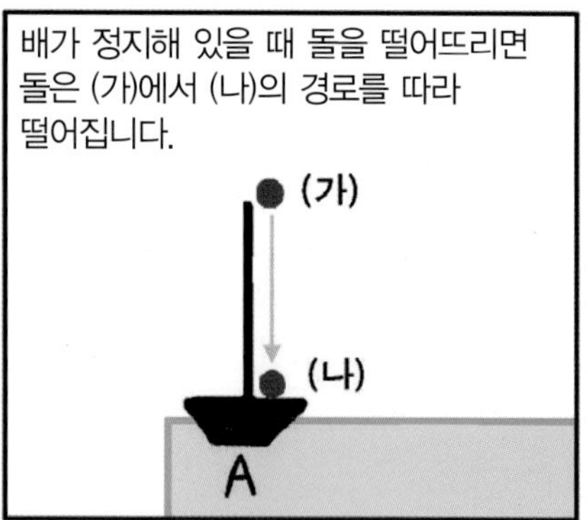

배가 정지해 있을 때 돌을 떨어뜨리면 돌은 (가)에서 (나)의 경로를 따라 떨어집니다.
(가)
(나)
A

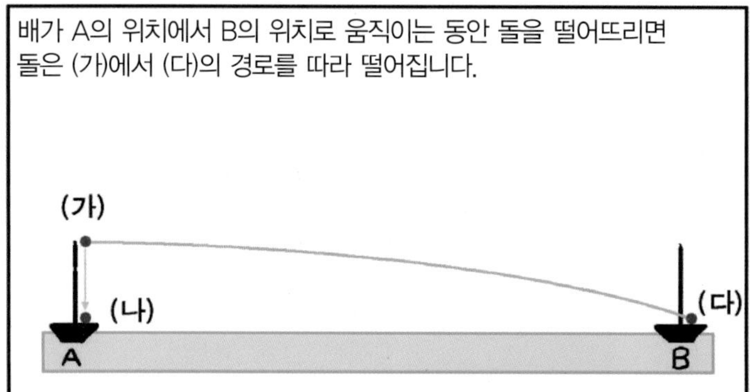

배가 A의 위치에서 B의 위치로 움직이는 동안 돌을 떨어뜨리면 돌은 (가)에서 (다)의 경로를 따라 떨어집니다.
(가)
(나)
(다)
A
B

우리가 볼 때에는 돌이 기다란 곡선을 따라 움직인 것처럼 보이지만 사실은 그렇지 않죠.
움직이는 배에서 돌은 곡선을 이루며 떨어집니다.
말도 안 되는 소리 하네!

배 안의 사람에게는 돌이 곧게 아래로 떨어지는 것처럼 보입니다.
아무리 봐도 수직으로 떨어지는걸!
슈우우

그렇기 때문에 돌이 두 경로를 지나는 시간은 같다는 거죠.
그럼 (가)에서 (다)로 가는 데 걸리는 시간과 (가)에서 (나)로 가는 데 걸리는 시간이 같다고요?

그래서 제가 놀랐다는 겁니다.

틀림없이 돌은 같은 높이의
돛대에서 떨어졌습니다.
그런데 돌이 (가)에서 (나)로 떨어지는 짧은 시간 동안에
째깍-

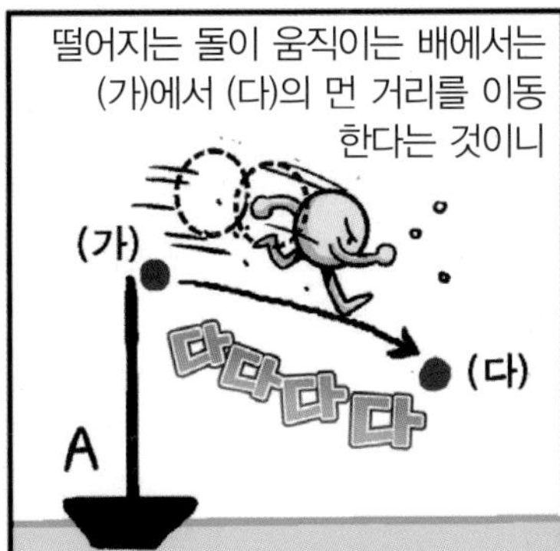
떨어지는 돌이 움직이는 배에서는
(가)에서 (다)의 먼 거리를 이동
한다는 것이니
(가)
(다)
다다다다
A

만일 배의 속력이 아주 빠르다면
돌은 그만큼 더 먼 거리를 이동할
겁니다!
걸리는 시간은 같은데 이동 거리는 다르죠.

현대 물리학을 조금이라도 배운 사람이라면 이 현상은 당연한 거야.

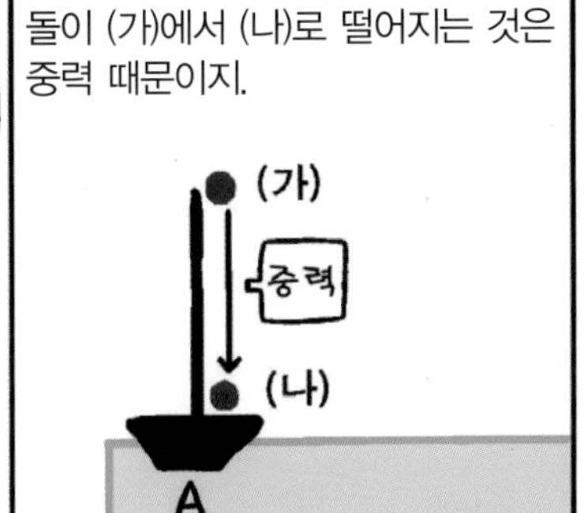
돌이 (가)에서 (나)로 떨어지는 것은
중력 때문이지.
(가)
중력
(나)
A

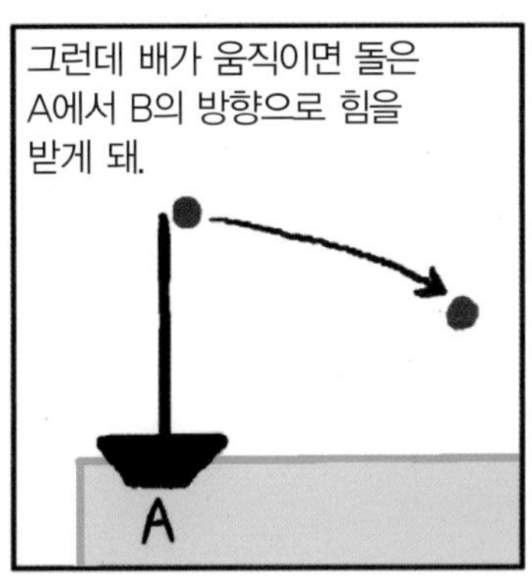
그런데 배가 움직이면 돌은
A에서 B의 방향으로 힘을
받게 돼.
A

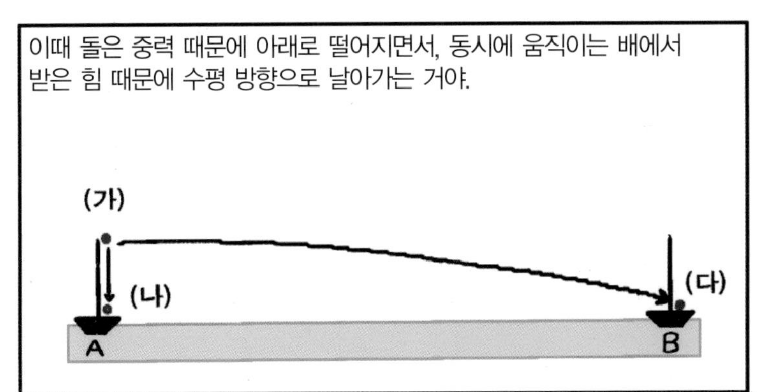
이때 돌은 중력 때문에 아래로 떨어지면서, 동시에 움직이는 배에서
받은 힘 때문에 수평 방향으로 날아가는 거야.
(가)
(나)
(다)
A
B

돌을 수평 방향으로 날아가게 만드는
힘은 배의 속력이 클수록 커져.
에잇, 빨리 가야지.
덕분에 나도 더 빨라지지!

그러니 배가 먼 거리를 이동하면 돌도
먼 거리를 이동하는 것이 당연하지.
에잇, 멀리 가야지!
덕분에 나도 더 멀리 가지!

야, 어떻게 너를 뗄 수가 없냐?
그러게 말야.
사실은 네가 밀어주고 있는 거라고!

자, 계속 사그레도의 얘기를 들어 보자고!

저는 지금 창고에서 뭔가 새로운 물건을 발견했을 때처럼 흥분됩니다.

그럼, 탑처럼 높은 곳에서 던져진 물체가 도대체 어떤 경로를 그리며 움직이는지 궁금해요.
살비아티, 좀 더 자세히 설명해 줄 수 있나요?

네, 저의 연구 결과를 좀 더 자세히 설명해 드리죠.

높은 탑에서 옆으로 돌을 던졌다고 생각해 보죠.
휙

돌은 옆으로 날아가면서 아래로 떨어질 것입니다.
툭

이때 돌은 어떤 곡선을 그리며 이동합니다.
떨어지는 물체는 점점 빨라지니까 그 곡선도 점점 급하게 기울어집니다.

…
…
…

그림으로 설명해 보겠습니다.
오~…

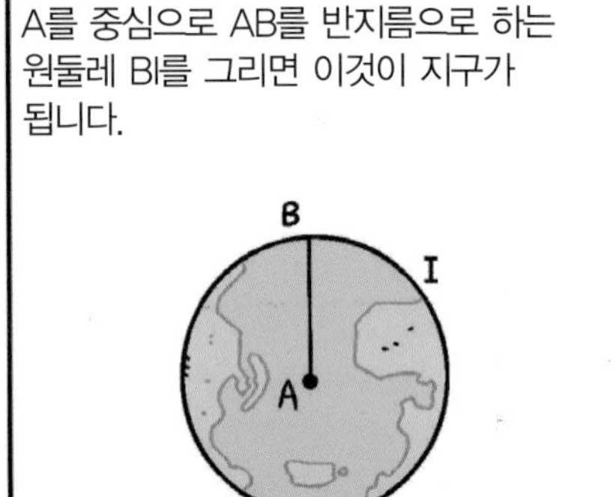
A를 중심으로 AB를 반지름으로 하는 원둘레 BI를 그리면 이것이 지구가 됩니다.
B
I
A

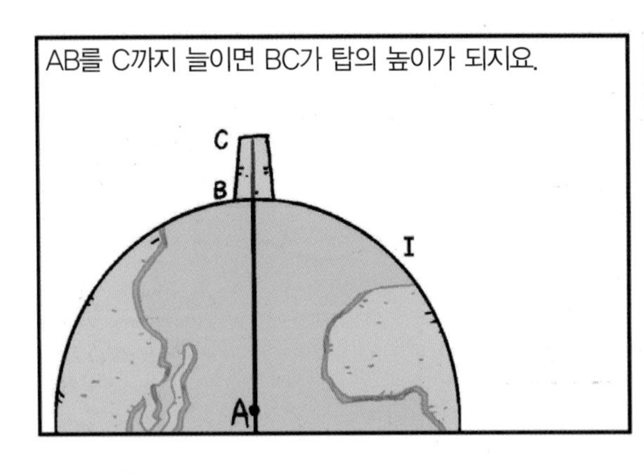
AB를 C까지 늘이면 BC가 탑의 높이가 되지요.
C
B
I
A

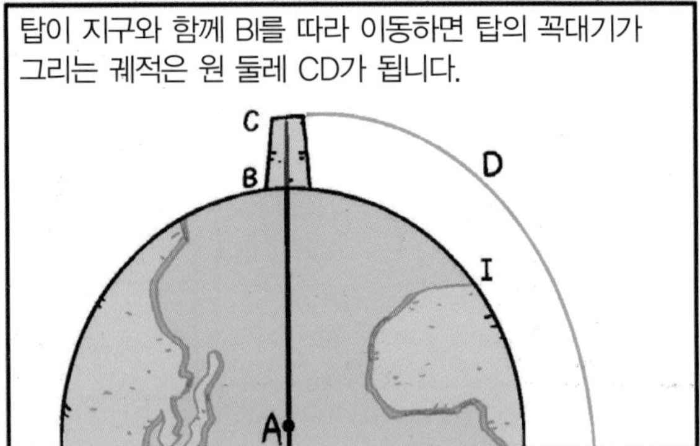
탑이 지구와 함께 BI를 따라 이동하면 탑의 꼭대기가 그리는 궤적은 원 둘레 CD가 됩니다.
C
B
D
I
A

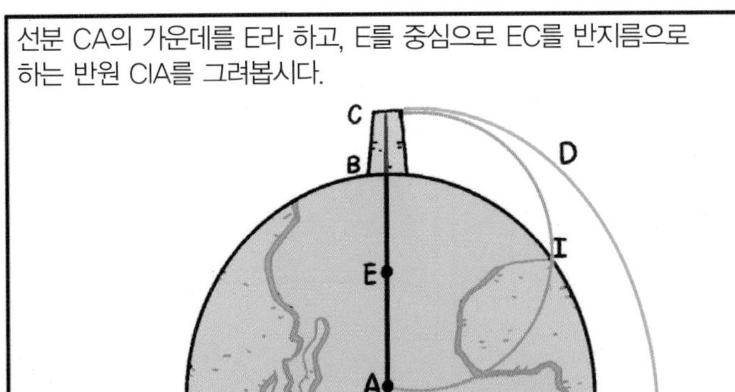
선분 CA의 가운데를 E라 하고, E를 중심으로 EC를 반지름으로 하는 반원 CIA를 그려봅시다.
C
B
D
I
E
A

탑의 꼭대기 C에서 떨어뜨린 돌은 어떤 경로로 움직일까요?
옆으로 날아가는 직선 운동과 아래로 떨어지는 운동을 합친 경로를 따라 움직이게 되겠죠.

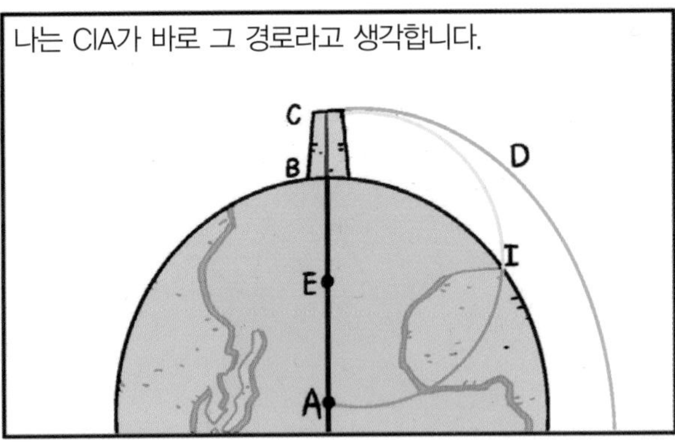
나는 CIA가 바로 그 경로라고 생각합니다.
C
B
D
I
E
A

휴~ 살비아티의 설명을 좀 알아듣겠어?

그런데 여기에서 잠시 짚고 넘어갈 것이 있어.
지금 제가 얘기하는 중….
쉿, 아무 말도 하지 마!

살비아티는 탑 꼭대기에서 던진 돌이 CIA를 따라 움직인다고 설명했는데, 이것은
삐이익~
틀린 거야!

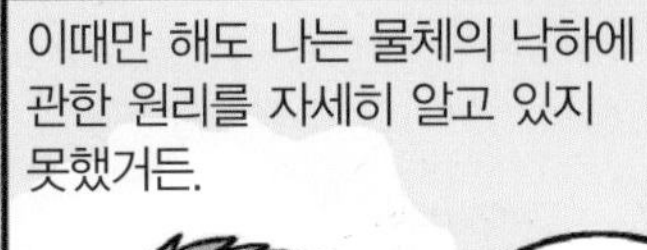
이때만 해도 나는 물체의 낙하에 관한 원리를 자세히 알고 있지 못했거든.

떨어지는 물체의 운동은 지구 중심에서 끝난다는 사실에 너무 집착했지.

그래서 그 경로의 끝이 지구 중심, 즉 A에서 끝나도록 만들려고 노력했지.
사실, 그렇게 하지 않아도 되는데 말이야.

현대 물리학에 따르면 던져진 돌은 이처럼 원 둘레를 따라 떨어지는 것이 아니라 포물선을 그리며 떨어져.

하지만 돌의 경로가 수직 성분과 수평 성분의 속도에 의해 결정된다는 것은 틀림이 없어.
수직과 수평.
착

그러니 경로 자체에 관해 오해가 있었다는 사실을 감안해줘.
자, 살비아티의 설명을 계속 들어 보자고.

원둘레 CD를 5등분하고

CD 위의 각 점을 F, G, H, L이라고 해보죠.
C
F
G
H
L
D
B
E
I
A
이 점들은 탑 꼭대기가 이동하는 경로 위의 점들입니다.

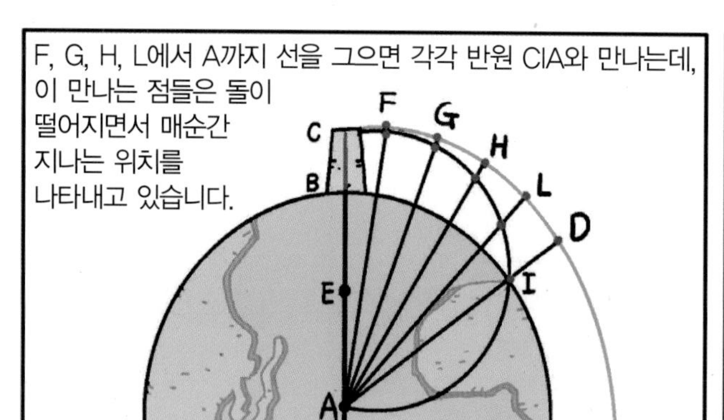
F, G, H, L에서 A까지 선을 그으면 각각 반원 CIA와 만나는데, 이 만나는 점들은 돌이 떨어지면서 매순간 지나는 위치를 나타내고 있습니다.
C
F
G
H
L
D
B
E
I
A

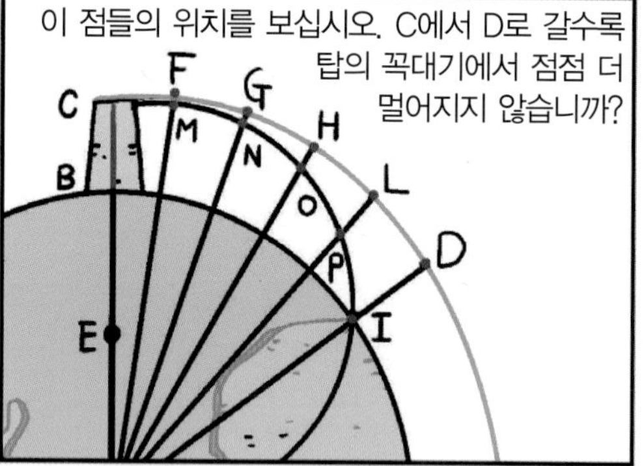
이 점들의 위치를 보십시오. C에서 D로 갈수록 탑의 꼭대기에서 점점 더 멀어지지 않습니까?
C
F
G
H
L
D
M
N
O
P
I
B
E

이것이 바로 탑을 따라 떨어지는 돌의 속력이 점점 빨라진다는 것을 나타내는 것입니다.

또 이 그림은 돌이 CIA를 따라 움직입니다.
으음….
그러다 결국 지구 중심에 이르게 된다는 것을 보여 주고 있습니다.

이 사실에서 저는 세 가지를 생각해 냈습니다.
첫째는!!

돌은 탑의 꼭대기에 놓여 있을 때 단순히 원을 그리는 것처럼 떨어질 때에도 원을 그리죠.
이렇게 말야?
슝
그 원이 아니잖아!

위에 있는 CIA 원 말야!

둘째는 이 돌은 탑의 꼭대기에 놓여 있을 때와 같은 비율로 움직여요.
하하….
….

CF, FG, GH, HL, LD의 길이는 이 돌이 CI를 떨어지면서 지나는 곡선 CM, MN, NO, OP, PI와 같다는 말입니다.

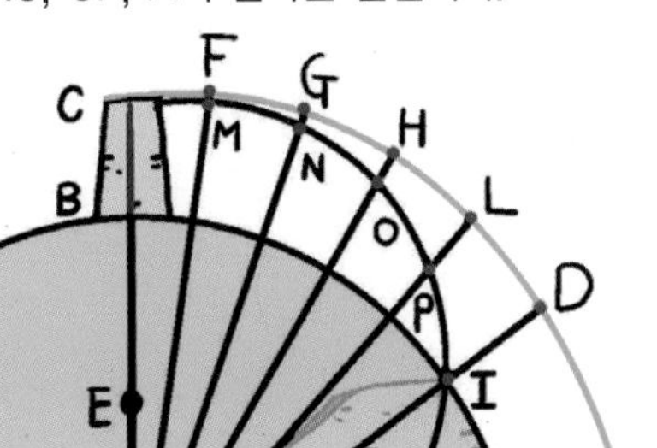

하지만 살비아티의 이 설명 중에서 무엇이 틀렸는지 우리는 알고 있지?

나는 나의 이론을 주장하면서도
살비아티의 입을 빌려 이렇게 말했어.

날아가는 물체의 운동
지금까지 물체가 똑바로 떨어진다는 것은 지구가 정지해 있다는 사실의 증거로 인정하기 어렵다는 설명을 했습니다.

이에 대한 우리 소요학파 사람들의 생각에 문제점이 있었군!

그렇다고 지구의 자전을 받아들인다는 것은 아니야.
지구가 정지해 있다는 증거는 아직도 많다고 생각합니다!

지구의 움직임과 반대 방향으로 대포를 쏘았을 때를 예로 들지요.
펑
포탄이 어떻게 운동하는지 살펴보면 어떨까요?

우리 소요학파 사람들은 만일 지구가 자전한다면
대포를 동쪽과 서쪽으로 쏘았을 때 각각 포탄이 날아가는 거리가 다르다고 생각합니다.

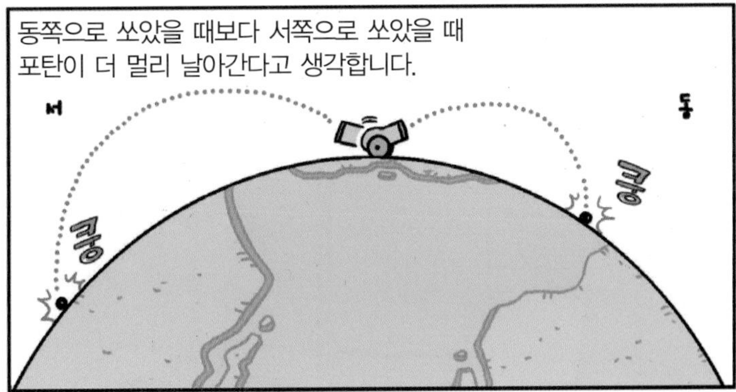
동쪽으로 쏘았을 때보다 서쪽으로 쏘았을 때 포탄이 더 멀리 날아간다고 생각합니다.
서
동
쿵
쿵

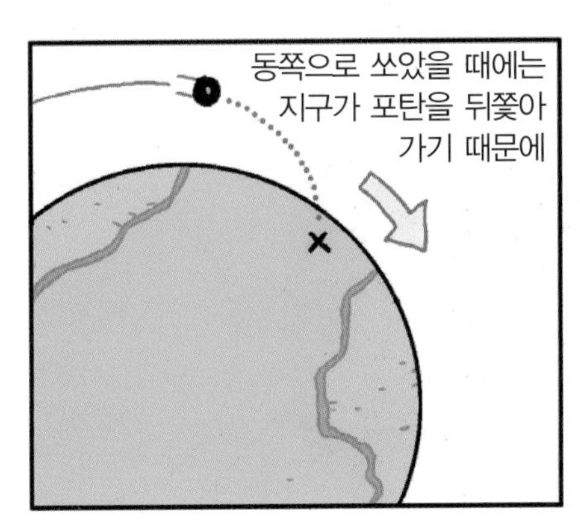
동쪽으로 쏘았을 때에는 지구가 포탄을 뒤쫓아 가기 때문에

그만큼 멀리 날아가지 못한다 이겁니다.

왠지 좀 어렵군요. 이 사실을 마차 실험으로 대치해서 생각해 보면 어떨까요?

달리는 마차 위에서 45도 각도로 석궁을 쏘는 겁니다. 한 번은 마차가 달리는 방향으로,
탱
두두두...

그리고 한 번은 그 반대 방향으로 쏘면 그 차이를 알 수 있죠.
탱
두두두...

제가 그 결과를 예측해 보겠습니다!

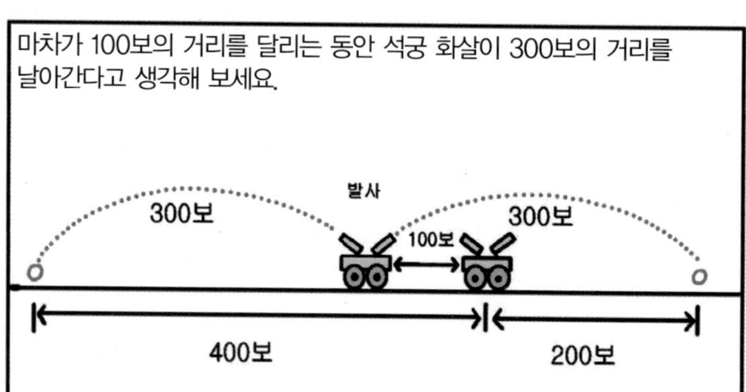
마차가 100보의 거리를 달리는 동안 석궁 화살이 300보의 거리를 날아간다고 생각해 보세요.
발사
300보
300보
100보
400보
200보

결국 200보밖에 날아가지 못한 셈이 되지요.

마차와 반대 방향으로 날아간 화살은 마차가 멀어지므로
척
결국 400보나 날아간 셈이 됩니다.

자, 여러분은 심플리치오의 이 설명에서 무엇이 틀렸는지 알겠어?

뭐, 알고 있다고? 좋아. 그럼 심플리치오 같은 사람에게 어떻게 설명하면 자신의 오류를 깨닫게 할 수 있을지 생각해 봐.
끄응.

아마 쉽지 않을걸?
여러분, 제 말 좀 들어보세요!

남을 이해시키는 일은 자신이 이해하는 일보다 훨씬 어렵거든.
뭔 말인지 알겠지?
아, 뭔 말인지 알겠다!

이제 살비아티가 어떻게 심플리치오가 자신의 오류를 깨닫게 만드는지 설명해 볼게.
이 설명은 두 사람의 대화를 직접 들어보는 게 낫겠어.

좋아요. 우선
심플리치오의 설명이
옳다고 해 두죠.

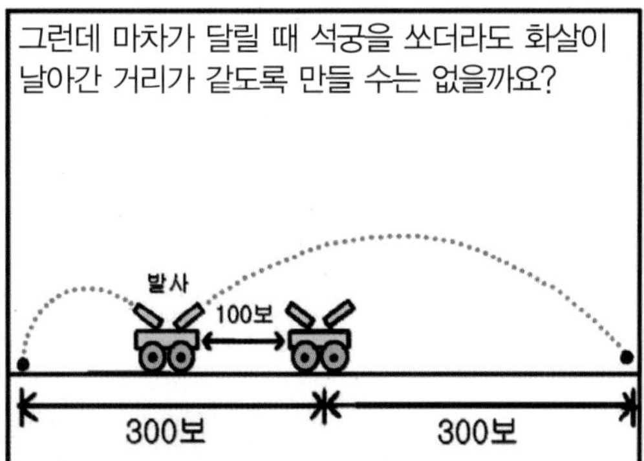
그런데 마차가 달릴 때 석궁을 쏘더라도 화살이
날아간 거리가 같도록 만들 수는 없을까요?
발사
100보
300보
300보

마차가 서 있으면 되겠지만
그 밖의 방법은 생각이
나질 않네요.

아니, 마차가 달리면서
그렇게 되는 경우
말입니다.
두두두

음~ 같은 방향으로는
석궁을 더 세게 쏘고
팟

반대 방향으로는 더 약하게
쏘면 되지 않을까요?
피융

맞습니다. 그렇게 하면 되죠.
그런데 석궁을 얼마나 더 세고
약하게 쏘아야 할까요?

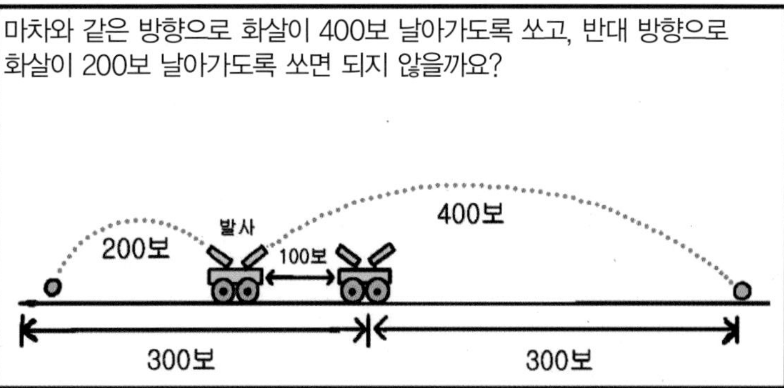
마차와 같은 방향으로 화살이 400보 날아가도록 쏘고, 반대 방향으로
화살이 200보 날아가도록 쏘면 되지 않을까요?
발사
200보
100보
400보
300보
300보

그렇게 하면 그동안 마차가 100보를
가잖아요.
그러면
양쪽 화살
모두 300보를
날아가는 셈이
되겠죠.

석궁을 세게 쏘고 약하게
쏜다는 것이 화살에 어떻게
작용하는지 아나요?

석궁을 세게 쏘면 화살의 속력이
빨라지고 석궁을 약하게 쏘면 화살의
속력이 느려집니다.
화살의 속력이
빠를수록 화살은
더 멀리
날아가겠지요.

그러니까 마차와 같은 방향으로
화살을 4의 속력으로 쏘고,
우차!

반대 방향으로 화살을 2의 속력으로
쏘면 되겠군요.

만일 석궁을 같은 세기로 쏜다면
양쪽으로 날아가는 화살의
속력이
모두 3의 속력이 되니까 안 되겠고 말입니다.

그렇지요. 마차가 달릴 때 석궁을 같은 세기로 쏘면 화살이 날아가는 거리가 달라질 거예요.

지금 이 예에서 마차의 속력은 얼마라고 생각합니까?
화살의 속력이 3이라고 했으니 마차의 속력은 1이라고 생각해야 합니다.

맞습니다. 마차의 속력을 1이라고 해야
계산이 맞아 떨어지겠지요.
그런데 마차가 달리면 마차 안에 있는 모든 물체들도 같은 속력으로 움직이지 않겠습니까?
물론입니다.

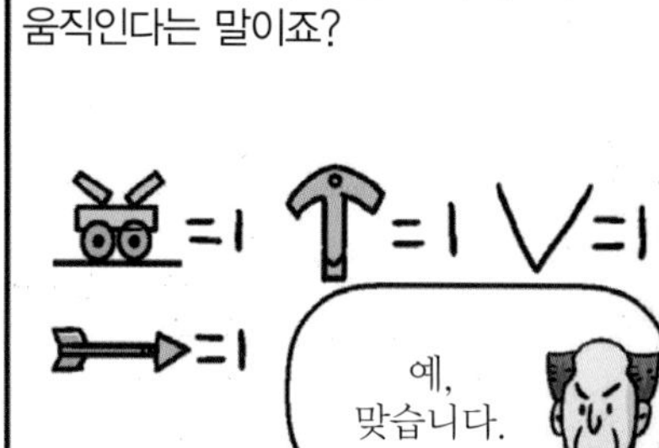
석궁과 거기에 매어 있는 시위, 또
화살도 모두 마차와 같은 속력으로
움직인다는 말이죠?
=1
=1
=1
=1
예, 맞습니다.

자, 이제 결론이 났습니다.
엥?

내 말을 잘 들어 보세요. 마차와
같은 방향으로 석궁을 쏠 때,
화살은 이미 1의 속력으로 움직이고 있습니다.
척

거기에다 석궁이 3의 속력을 더해
주니까
화살은 4의 속력으로 마차를 떠나게 됩니다.

마차와 반대 방향으로 석궁을
쏠 때 석궁은 화살에 3의 속력을
더해 줍니다.
앞에서 쐈을 때와 같은 힘으로 쏩니다!

하지만 화살은 마차와 함께 1의 속력으로 반대 방향으로 움직이고 있습니다.

따라서 화살은 2의 속력으로 마차를 떠나게 된다는 말입니다.
슈우욱

마차가 달릴 때 같은 방향으로 4의 속력, 반대 방향으로 2의 속력으로 석궁을 쏩니다.
그 결과 화살이 마차로부터 같은 거리를 날아간다는 것은 이미 앞에서 심플리치오가 말하지 않았습니까?

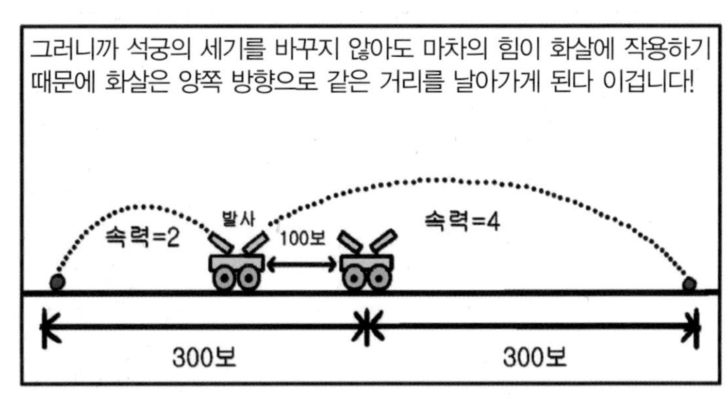
그러니까 석궁의 세기를 바꾸지 않아도 마차의 힘이 화살에 작용하기 때문에 화살은 양쪽 방향으로 같은 거리를 날아가게 된다 이겁니다!
속력=2
발사
100보
속력=4
300보
300보

마차의 예와 마찬가지로
우아아~.

지구의 표면에서 대포를 쏘면 포탄은 동쪽과 서쪽에 관계없이 일정한 거리를 날아갑니다.
펑
펑

지금 토론을 하다보니 심플리치오도 올바른 결과를 거의 알고 있었던 것 같습니다.

심플리치오는 물론 아리스토텔레스, 프톨레마이오스, 더 나아가 브라헤 같은 사람들이 이처럼 터무니없는 실수를 한 것은

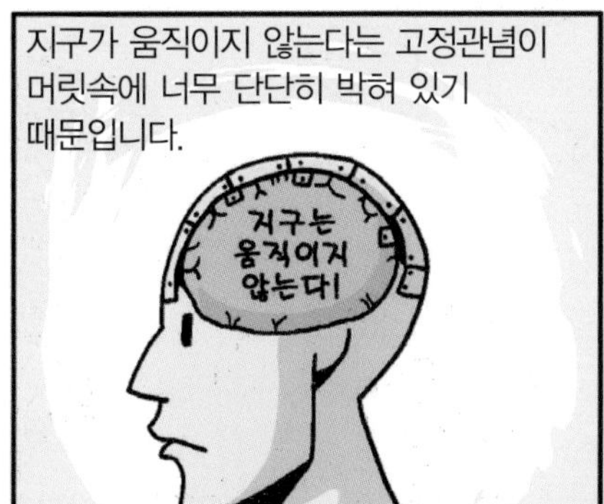
지구가 움직이지 않는다는 고정관념이 머릿속에 너무 단단히 박혀 있기 때문입니다.
지구는 움직이지 않는다!

물론 아리스토텔레스의 그 고정관념은 모든 사람들에게 전파되었고, 그 결과 진실이 숨을 쉬지 못하는 세상이 되었던 거죠.
지구는 움직이지 않는다!

살비아티 덕분에 사그레도도 높은 탑에서 떨어지는 물체의 운동, 대포의 포탄이 날아가는 운동을 확실히 알았어.
이제 어떤 운동이라도 자신 있게 설명할 수 있겠는걸!

흠, 그럼 제가 지금까지의 얘기를 토대로

대포를 수직으로 쏘았을 때 지구가 자전하는 데도 포탄이 어째서 제자리로 떨어지는지 설명해 드리겠습니다.
흠, 포탄의 운동을 설명해 보죠.

포탄이 포신을 지날 때 그리는 궤적은 수직선이 아니라
사선입니다.
슥

이 그림처럼 지구가 자전을 하면 대포도 따라 움직입니다. 화약이 폭발하면 포탄이 포신을 지나는 동안 대포는 AC의 위치에서 DE의 위치로 움직이죠.
A
D
B
C
E

그러므로 B에 있던 포탄은 D의 위치에서 대포의 입구에 도달합니다.

A
D
B
C
포탄이 지나는 길은 BD가 되는 겁니다.
슥

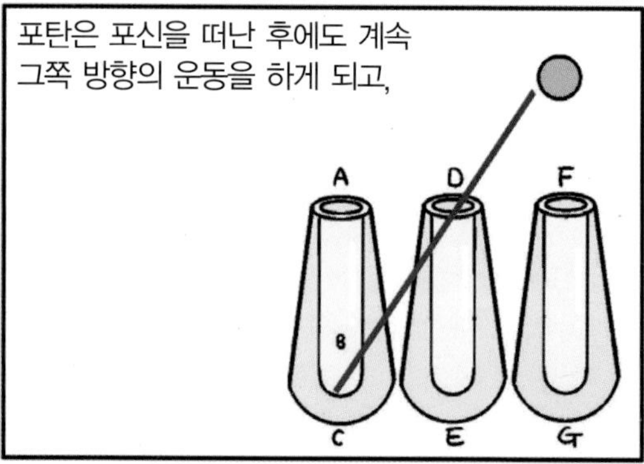
포탄은 포신을 떠난 후에도 계속 그쪽 방향의 운동을 하게 되고,
A
D
F
B
C
E
G

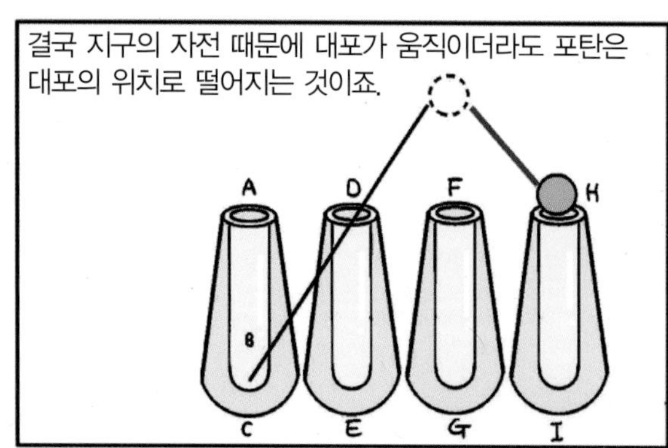
결국 지구의 자전 때문에 대포가 움직이더라도 포탄은 대포의 위치로 떨어지는 것이죠.
A
D
F
H
B
C
E
G
I

맞죠, 살비아티?
넵.
쳇… 신났군. 하지만 뭔가 이상해.

그럼, 날아다니는 새들은 어떻게 되는 거지?

새들은 이리저리 공중을 마음껏 날아다니면서도

어떻게 모두에게 공통된 운동을 잃어버리지 않을 수 있는 것이죠?
그게 무슨 말이죠?

돌과 포탄은 각각 탑과 대포에서 힘을 받고 잠시 공중에 머물다 떨어집니다. 하지만 새들은 살아 있기 때문에 오랫동안 공중에 머물지요.
휘익
쾅

그동안 지구의 자전 때문에 받는 힘을 잃어버릴 텐데,

엄청나게 빠른 속력으로 움직이는 지표의 나무로 돌아와 다시 앉을 수 있느냐 하는 문제입니다.

맞소, 그게 바로 이해 안 되는 것입니다!
벌떡

이 문제는 사실 아주 간단합니다!
뭐… 뭐!?

그것은 지구 둘레의 공기가 지구와 함께 돌기 때문입니다.
무엇을 근거로 말입니까?
구름을 보면 알 수 있어요.

구름은 아무런 힘도 받지 않는데 하늘에 둥둥 뜬 채
둥둥
지구와 함께 자전합니다.

새들도 지구와 함께 움직이는 공기 덕분에
지구의 자전을 놓치지 않고 쫓아갈 수 있는 거랍니다.

쉽게 이해가 안 되는 게 있습니다. 살비아티!

구름은 아주 가볍기 때문에 공기를 따라 움직이는 것이 쉽죠.
마치 깃털처럼 말입니다.

한편 새는 단단하고 무거운 물체이기 때문에 공기에 실려 움직인다는 게 쉽지 않다는 거죠.
쌩

깃털처럼 가벼운 물체는 바람에 실려 날아가지만 돌처럼 무거운 물체는 그렇지 않잖아요.
휘이잉

어때. 사그레도의 말을 들으니 그럴 듯하지 않아?

아마 대부분의 사람들이 그렇게 생각할 거야. 왜냐하면 일상생활의 경험이 그만큼 우리에게 큰 영향을 끼치고 있기 때문이지.
하하
와아-

하지만 좀 더 과학적으로 생각해 봐.
어딘가 큰 오류가 있을 테니 말이야.

사그레도! 이 문제를 당혹스럽게 생각하는 이유는 새들이 살아 있기 때문입니다.

높은 탑 꼭대기에서 죽은 새와 살아 있는 새를 떨어뜨려 보세요.
파닥
파닥

죽은 새는 돌과 똑같이 움직여요. 지구의 자전 때문에 움직이는 운동과 자신의 무게 때문에 아래로 떨어지는 운동을 합니다.

휘익!

이건 날 두 번 죽이는 거라고!

곤충들은 이리저리 같은 속력으로 날아다니고, 물고기들도 마찬가지로 물속에서 헤엄치며, 물방울은 천장에서 똑바로 떨어집니다.

앵 앵 똑 똑

이번에는 배가 흔들리지 않고 일정한 속력을 유지하며 나아가도록 한 후 살펴보죠.
선실 안에서 일어나는 모든 일을 관찰해 보겠습니다.

앞에서 말한 일들이 조금도 바뀌지 않을 뿐 아니라, 선실 안에서 일어나는 일을 통해 배가 움직이는지 아니면 정지해 있는지도 알 수 없습니다.
흔들
앵
앵
흔들
똑
똑

아… 왜 난 항해할 때 이런 실험을 못했을까요?

아마 사그레도뿐만 아니라 배를 탔던 숱한 사람들이 이런 생각을 못했을 겁니다.
어째서 요?

그건 대부분의 사람들이 예민하지 못한 이유도 있어요.
또 실제의 배는 몹시 흔들리기 때문이에요.
흔들
흔들

하지만 우리 같은 과학자는 똑같은 일상생활에서도 일반인과는 다르죠.
보통 사람들이 생각하고 보지 못하는 것을 생각하고 볼 수 있습니다.

또 상상 속에서 과학적 실험을 할 수 있는 능력을 지니고 있어요.

그래서 흔들리는 배 안에서도 흔들리지 않을 때를 가정하고 과학 실험을 할 수 있었던 거로군요.
씨익

하지만 한 가지 더 지구가 자전하지 않는 확실한 증거가 있습니다.

어떤 것 말입니까?
아, 그것 말씀이시군요.

그 문제란 말입니다….

빠른 속도로 자전하는 물체는 그 물체에 붙어 있는 것들을 밖으로 집어던지려는 성질을 갖고 있습니다.
팅
팅

만일 지구가 하루에 한 번 자전한다면 그 속력은 매우 빠를 것이고,
시속 1,609km의 속도로 돌아!

그렇다면 그 때문에 바위나 동물들이 하늘 높이 던져질 겁니다.
휙
휙

프톨레마이오스를 비롯한 많은 학자들은 아무리 기초가 튼튼한 건물이라도 견디지 못할 거라고 주장했습니다.
툭-
두둑-
그것이 바로 지구가 자전하지 않는다는 확실한 증거라고 소요학파에서 주장하죠.

물체의 회전 때문에 바깥으로 작용하게 되는 힘을 뭐라고 할까?
바로 원심력이라고 불러.

원심력은 일상생활에서도 흔히 볼 수 있어.
비가 오는 날 우산을 펼치고 한번 돌려봐.
휘리릭

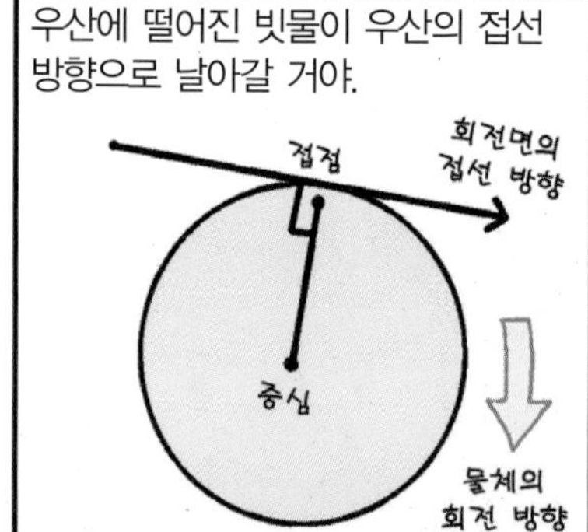
우산에 떨어진 빗물이 우산의 접선 방향으로 날아갈 거야.
접점
회전면의 접선 방향
중심
물체의 회전 방향

우산의 회전으로 생기는 원심력 때문에 그 위의 빗물이 바깥으로 흩어지는 거지.
지구의 자전 속력은 우산에 비하면 아주 커.

프톨레마이오스의 주장엔 커다란 허점이 있습니다.

그 허점이란 원심력의 크기가 속력에만 비례하는 것은 아니라는 거지.
…?

그림을 그리며 설명해 드릴게요.

크기가 다른 두 개의 바퀴가 A를 중심으로 회전하고
있다고 생각해 보죠.
A
작은 바퀴와 큰 바퀴를
단순하게 표기해 보겠습니다.

작은 바퀴의 둘레는 BG, 큰 바퀴의 둘레는
CE로 합니다.
C
E
B
G

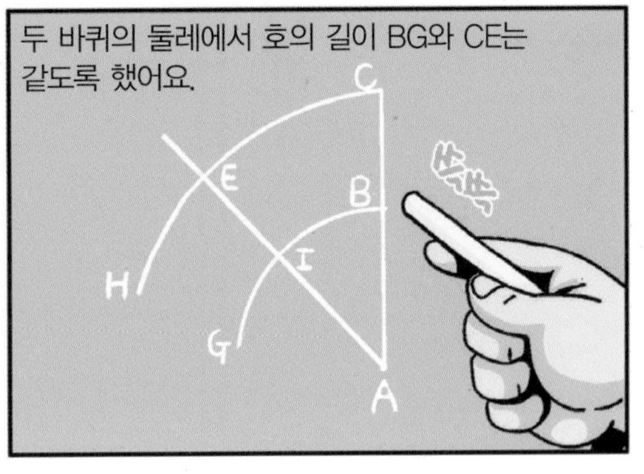
두 바퀴의 둘레에서 호의 길이 BG와 CE는
같도록 했어요.
C
E
B
H
I
G
A

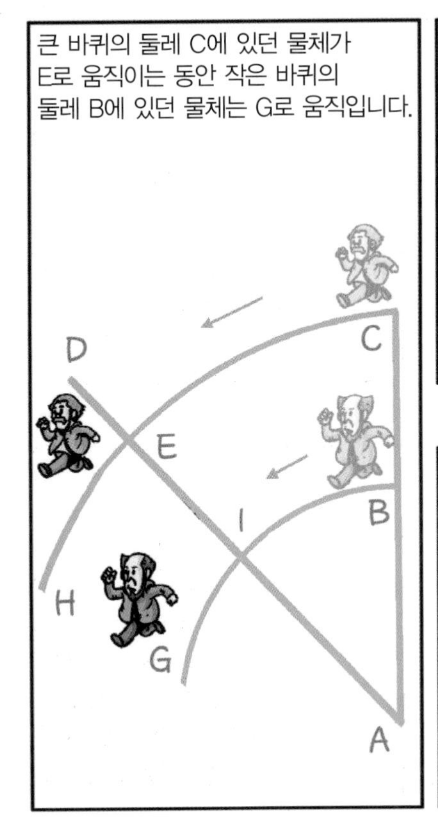
큰 바퀴의 둘레 C에 있던 물체가
E로 움직이는 동안 작은 바퀴의
둘레 B에 있던 물체는 G로 움직입니다.
D
C
E
B
I
H
G
A

그러니까 두 물체의 속력은 같은
거죠.
같은 거리를 같은 시간에
이동했으니까!!

이때 프톨레마이오스의 견해에
따르면
두 바퀴에
생기는
원심력의
크기는
같아야
합니다.

하지만 살비아티는 회전
속력이 같을 때 어떻다고
했을까요?
작은 바퀴가
물체를 더
세게 집어
던집니다.

에? 정말?
자, 그림으로 다시
설명해 드리겠습니다.

이 두 바퀴의 둘레 B와 C에
사그레도와 심플리치오 두 분이
놓여 있다고 생각해 보죠.
D
C
E
B
H
F
I
G
A

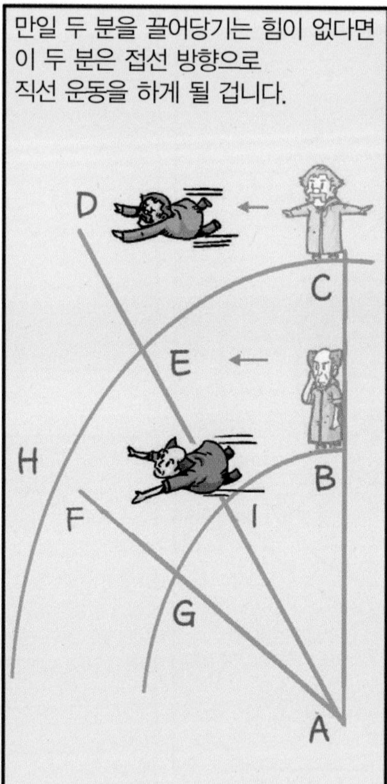
만일 두 분을 끌어당기는 힘이 없다면
이 두 분은 접선 방향으로
직선 운동을 하게 될 겁니다.
D
C
E
H
B
F
I
G
A

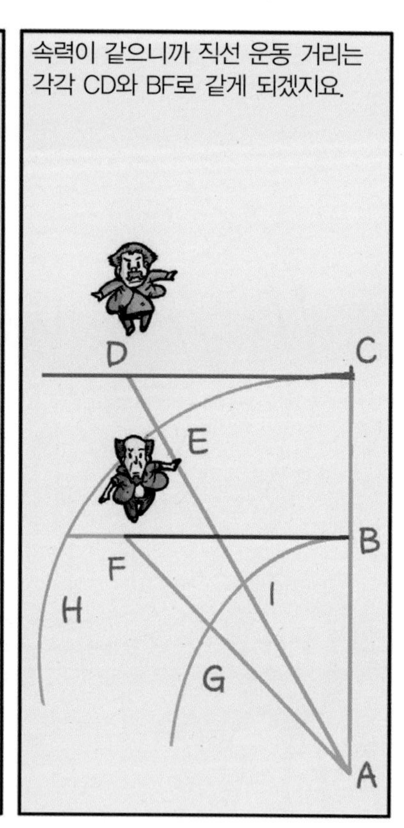
속력이 같으니까 직선 운동 거리는
각각 CD와 BF로 같게 되겠지요.
D
C
E
B
F
H
I
G
A

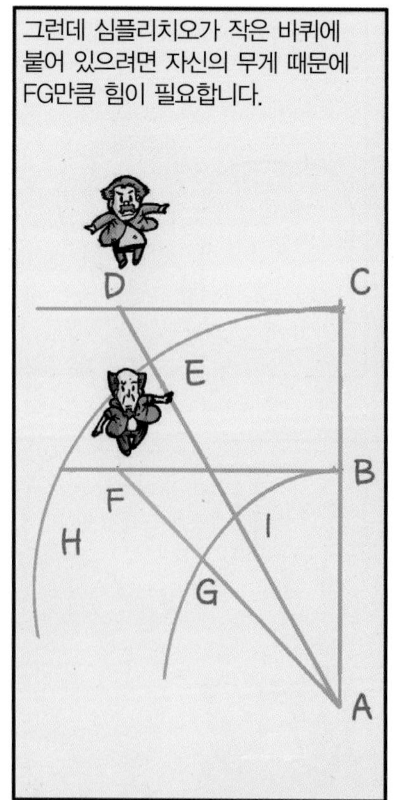
그런데 심플리치오가 작은 바퀴에
붙어 있으려면 자신의 무게 때문에
FG만큼 힘이 필요합니다.
D
C
E
B
F
H
I
G
A

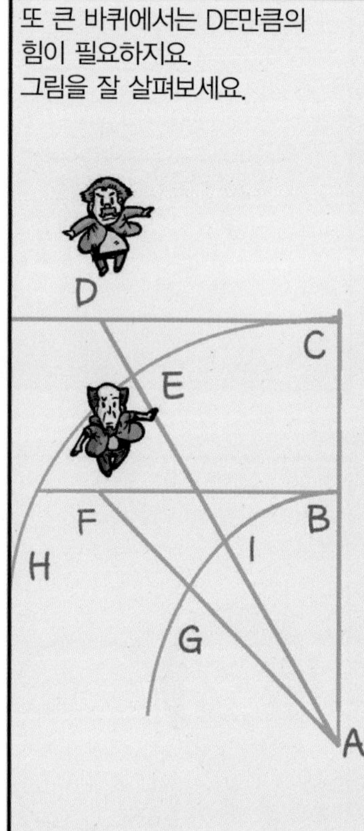
또 큰 바퀴에서는 DE만큼의
힘이 필요하지요.
그림을 잘 살펴보세요.
D
C
E
F
B
H
I
G
A

DE가 FG보다 짧죠. 바퀴가 클수록
이 거리는 더욱 짧아집니다.
D
E
H
F
G

다시 말해 바퀴가 클수록 바퀴에
붙어 있도록 만드는 힘이 적어도
된다는 것이죠.
윽!

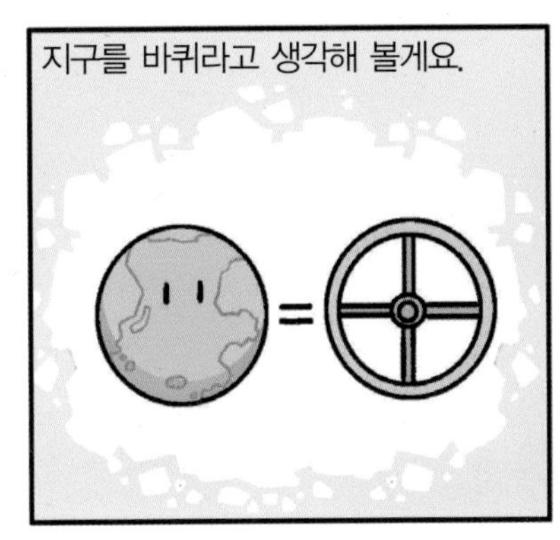

하지만 오랫동안 세상을 지배해 온 아리스토텔레스나 프톨레마이오스의 이론보다 코페르니쿠스나 갈릴레이의 이론이 더욱 합리적이고 체계적이라는 사실은 입증된 거야.

제5장
셋째 날 이야기

주인공들의 이야기는 이제 종반으로 치닫고 있어.
3

지구가 공전한다는 것은 무엇인가를 중심으로 돌고 있다는 거야.
?

코페르니쿠스와 나 갈릴레이는 그 무엇이 바로 태양이라는 것이지.

이 책의 핵심 내용인 지구의 공전을 다루는 셋째 날 이야기를 시작할 거야.
넷째 날도 있지만 셋째 날이 제일 중요해!
두우주체계에대한대화

자, 그럼 셋째 날 이야기로 들어가 보자고!

연주 운동이란 1년을 주기로 나타나는 여러 가지 천체의 위치와 계절의 변화를 말합니다.

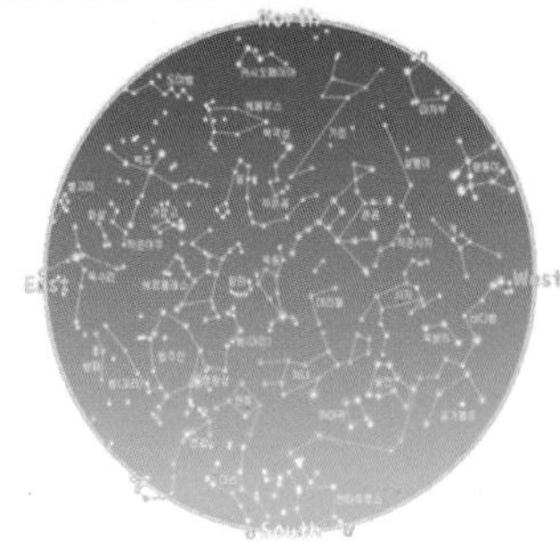

처음으로 연주 운동이 지구가 태양 둘레를 공전하기 때문이라고
주장한 사람은 사모스 섬의 천문학자 아리스타르코스야.
네, 지금 저는 처음 지구의 공전을 주장한 아리스타르코스 씨가 사는 섬에 도착했습니다. 아, 저기 아리스타르코스로 보이는 사람이 있네요.

아리스타르코스 씨죠? 어떻게 지구의 공전을 주장하게 되었죠?
네?
주장하게 된 동기가 중요한 게 아니네.

아리스타르코스의 주장은 천동설에 묻혀 빛을 보지 못했어.
이제 갈릴레이 자네가 내 뒤를 이어주게나.
…

이상 현장의 갈기자였습니다.

자, 연주 운동이 무엇이고 누가 먼저 주장했는지 알아봤는데요.

지구가 태양의 둘레를 돈다고 가정한다면 어떤 문제점이 있을까요?
흠, 제가 말씀 드리도록 하지요.

만일 지구가 태양의 둘레를 돈다면 지구는 황도대의 중심이 될 수 없습니다.
중심이 되면서 둘레를 돌 수는 없으니까요.

아리스토텔레스와 프톨레마이오스를 비롯한 많은 사람들은 생각했어.
지구가 황도대의 중심이야!

따라서 지구가 태양의 둘레를 돈다는 가정은 틀린 겁니다.
지구가 태양의 둘레를 돈다니요!

잠깐! 황도가 뭔지 알겠어?
복숭아 종류를 말하는 건 아냐.

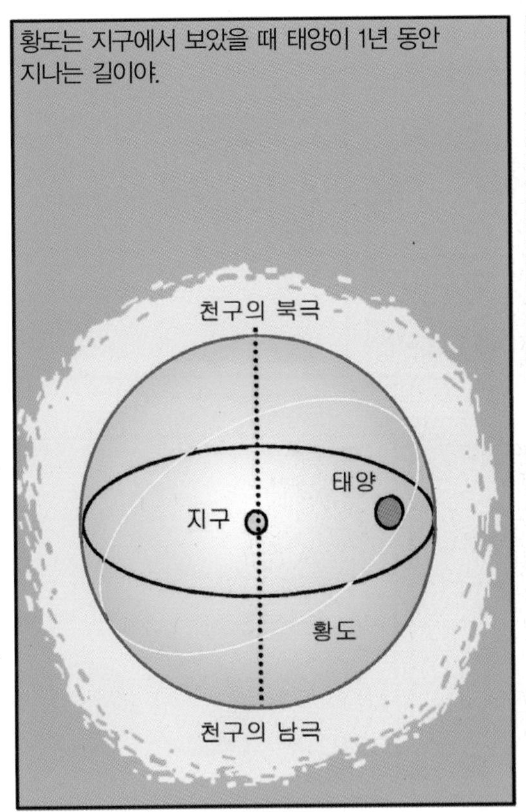
황도는 지구에서 보았을 때 태양이 1년 동안 지나는 길이야.
천구의 북극
태양
지구
황도
천구의 남극

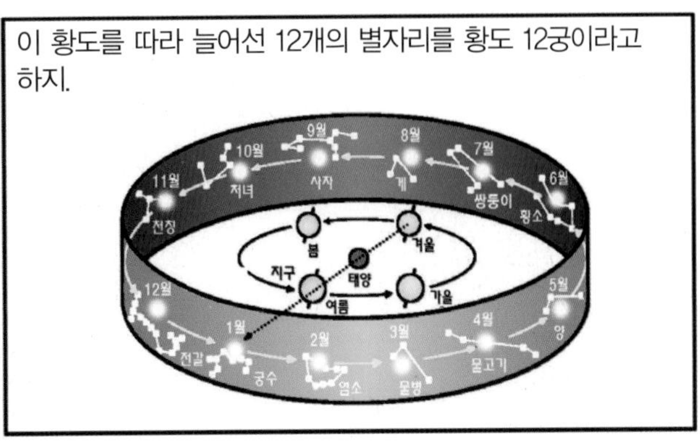
이 황도를 따라 늘어선 12개의 별자리를 황도 12궁이라고 하지.
9월
10월
8월
7월
11월
6월
처녀
사자
게
쌍둥이
황소
천칭
봄
겨울
지구
태양
여름
가을
12월
5월
1월
4월
3월
2월
양
전갈
궁수
염소
물병
물고기

행성들도 거의 황도 근처를 따라 공전하지.
현대 천문학에서도 황도의 개념을 유용하게 활용하고 있어.
하지만 이것은 어디까지나 태양의 겉보기 운동에 지나지 않는 거야.

그런데 아리스토텔레스는 지구가 황도의 중심에 있다고 생각했어.
태양이 1년에 한 번 황도를 따라 지구 둘레를 돈다고 생각하네!
오~.
오~.

그러니 아리스토텔레스의 신봉자인 심플리치오도 당연히 그 생각을 뛰어 넘을 수 없었던 거야.
오, 역시 아리스토텔레스가 최고야.

여기서 미리 알아둘 게 있어.
그것은 이때까지만 하더라도 아직 태양이 다른 별들과 같은 천체인지 밝혀지지 않았어.

또한, 별들이 모여 은하를 이루는 사실도 밝혀지지 않았어.

그래서 우주의 중심이 지구냐, 아니면 태양이냐를 놓고 토론하게 된 것이지.
VS

또한 이때까지는 토성의 바깥 궤도를 도는 행성들은 아직 발견되지 않았다는 사실도 알아 둬.

살비아티가 지구의 공전을 증명하기 위해 맨 처음 제시한 증거는 다음과 같아.

우선 모든 행성이 태양의 둘레를 도는 것은 금성과 수성의 움직임을 보면 확실합니다.

금성과 수성은 언제나 태양 근처를 벗어나지 않습니다.

무엇보다 금성의 모양이 변하는 것을 보면 확실히 알 수 있습니다.

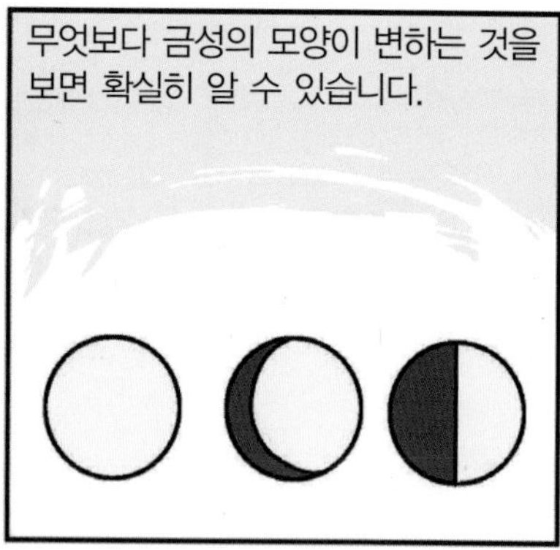

만일 금성과 수성이 지구 둘레를 돈다면

이들이 태양 근처를 벗어나 반대쪽에 위치할 때도 있을 게 아니겠습니까?

또 금성은 마치 달처럼 모양이 변하죠.

수성도 태양 둘레를 돌고 있으니 금성처럼 모양이 변할 텐데 말이야.

그건 수성이 태양에 너무 가까워서 쉽게 관측할 수 없었기 때문이야.

어쨌든 나는 수성의 모양도
당연히 바뀔 것이라고
확신했어.

정말
행성들이
움직이나
봐!
…
지구가 아니라
태양이 중심이란
말이 사실일까?
웅성
웅성
웅성

자, 자… 조용히
하세요!
…

아직 석연치 않은 점이
많습니다. 좀 더 이해가
쉽도록 그림을 그려서
설명해 주시죠!

물론, 좋습니다.
자, 이제부터
살비아티의
설명을 잘
들어 봐.

살비아티는 심플리치오에게 몇 가지 질문을
하게 될 거야.
심플리치오가 그 질문에
대답하기만 하면 태양계의 그림이
점점 완성되어 갈 거야.

어때. 자신의 이론을 믿지 않는 사람에게 스스로 그 이론에
맞는 그림을 완성시키도록 한다는 살비아티의 생각이
얼마나 멋진지!
드르륵

여러분도 살비아티의 말에 따라 대답을 하며 그림을 완성해
나가도록 해 봐.
자, 준비됐지?
고, 고, 고!

이 칠판을 드넓은 우주라고 생각하고 이제부터 온갖 천체들을 이치에 맞도록 배치해 보죠.
오~
알겠습니다.
오~.
오~.

먼저 어떤 곳이라도 좋으니 지구를 그려 보시지요.
여기에 지구를 표시하겠습니다.

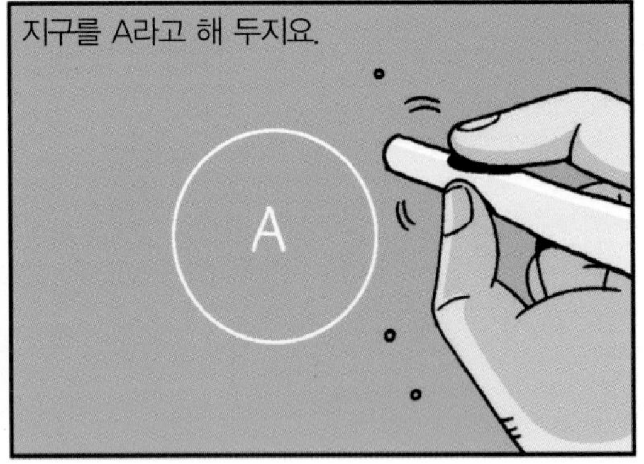
지구를 A라고 해 두지요.
A

좋습니다. 두 번째로 지구에서 적당히 떨어진 곳에 태양을 그리도록 하죠.
여기에 그리겠습니다.

A
태양은 O로 나타내지요.
O

태양과 지구를 그렸으니, 움직임과 위치가 실제 관측과 일치하도록 금성을 그려 보세요.
?

토론으로 알게 된 사실이든 스스로 관측한 사실이든 금성에 대해 알게 된 모든 것을 기억해 내시면 됩니다.
그걸 바탕으로 적당한 위치를 잡아야 한다는 겁니다.
흐음….

금성은….
웅성
웅성

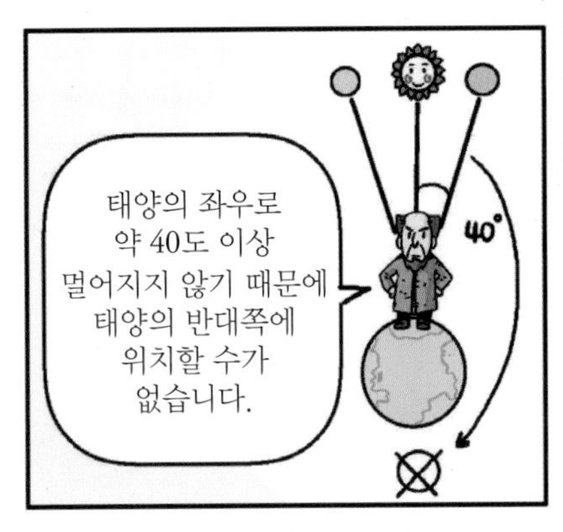
태양의 좌우로 약 40도 이상 멀어지지 않기 때문에 태양의 반대쪽에 위치할 수가 없습니다.
40°

초저녁에 보이며 태양에 가까워질 때에는 커 보이고,

새벽에 태양에서 멀어질 때에는 작아 보입니다.

금성이 가장 크게 보일 때에는 초승달처럼 생겼고,

가장 작을 때에는 거의 둥글게 보입니다.

이런 사실들이 옳다면
음….

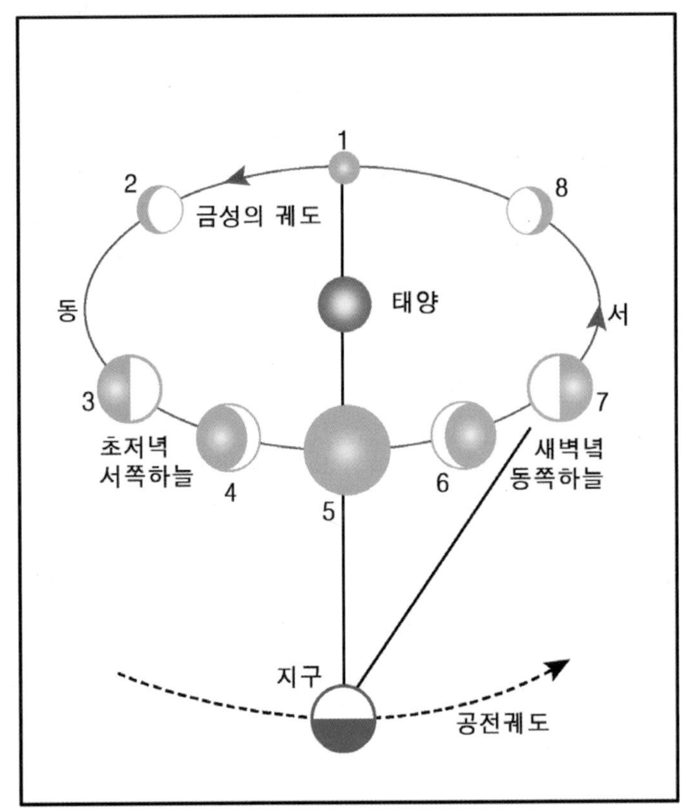
1
2
8
금성의 궤도
동
태양
서
3
7
4
5
6
초저녁
서쪽하늘
새벽녘
동쪽하늘
지구
공전궤도

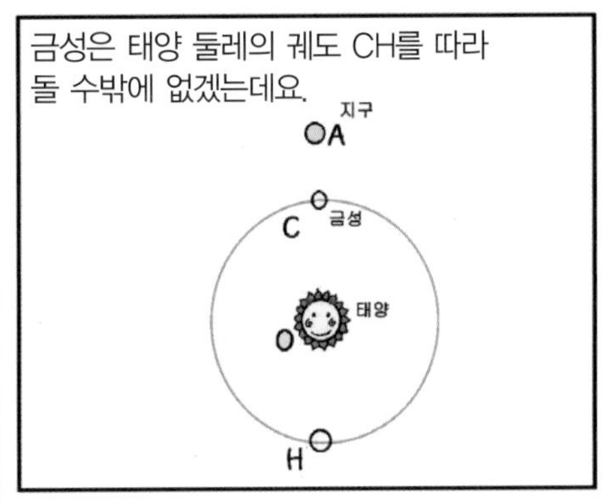
금성은 태양 둘레의 궤도 CH를 따라 돌 수밖에 없겠는데요.
지구
A
C
금성
태양
H

흠… 좋습니다. 금성은 그렇다 치고, 이제 수성을 그려 보시죠.

알다시피 수성도 태양 주변을 벗어나지 않습니다.
게다가, 그 폭이 금성보다 훨씬 좁습니다.
….

수성은 금성보다 작은 원을 그리며 태양의 둘레를 돌 거예요.
금성

수성이 금성이나 다른 어떤 행성보다 밝은 이유도 태양과 가장 가깝기 때문일 거예요.
실제로는 금성이나 목성이 수성보다 밝아.

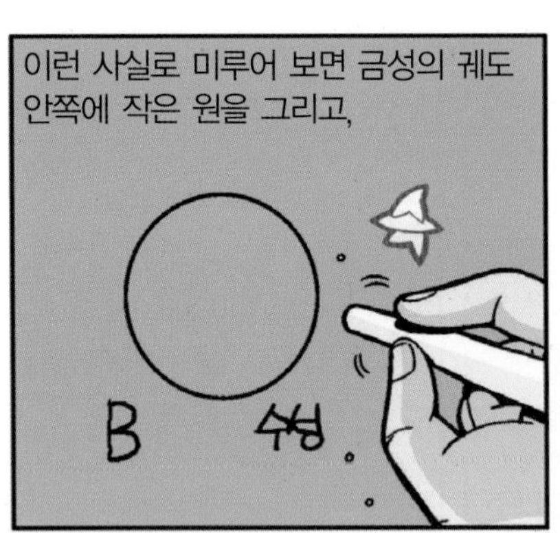

이런 사실로 미루어 보면 금성의 궤도 안쪽에 작은 원을 그리고,
B
수성

이 원을 수성의 궤도 BG라고 해야 합니다.
C 금성
B 수성
태양
G
H

그 다음으로 화성은 어디에 놓으면 좋겠습니까?
화성은 태양의 반대쪽에 놓이기도 하니까 화성의 궤도는 지구를 품고 있어야 합니다.

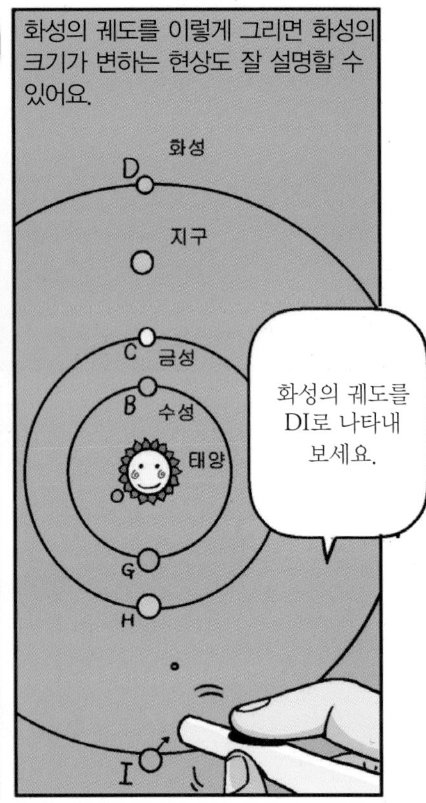

화성의 궤도를 이렇게 그리면 화성의 크기가 변하는 현상도 잘 설명할 수 있어요.
D 화성
지구
C 금성
B 수성
태양
G
H
I
화성의 궤도를 DI로 나타내 보세요.

화성이 태양의 반대쪽인 D의 위치에 있을 때에는 크게 보입니다.
지구에 가깝기 때문이겠지요.

또 태양과 같은 쪽인 I의 위치에 있을 때에는 작게 보이지요.
지구에서 멀기 때문입니다.

목성과 토성의 관측 결과도 화성과 비슷하니 모두 태양의 둘레를 따라 돌 거예요.
목성의 궤도를 EL, 토성의 궤도를 FM이라고 나타내지요.
쓱쓱

토성 F
목성 E
화성 D
지구
C 금성
B 수성
태양
G
H
I
L
M
지금까지 아주 훌륭하게 잘 했습니다.
후후후!

그림을 보면 알 수 있듯이 바깥의 세 행성들과 지구 사이의 거리는 행성들의 위치에 따라 다릅니다.
D 화성
y
지구
A
금성
C x
수성
B
2x+y
태양
G x
H
y
I
L
행성들이 태양의 반대쪽에 있느냐 아니면 태양과 같은 쪽에 있느냐에 따라 달라집니다.

행성이 태양의 반대쪽에 있을 때와 같은 쪽에 있을 때의 거리 차이는 얼마일까요?
D 화성
지구
C 금성
B 수성
태양
지구와 태양 사이의 거리의 두 배입니다.

화성과 지구의 거리는 화성의 위치에 따라 거리 차가 굉장히 큽니다.
음… 지금 화성이 큰 걸로 봐서 지구 뒤에 있군!

그렇기 때문에 화성의 크기 변화가 그렇게 큰 것이지요.
음… 지금 화성이 작은 걸로 봐서 태양 뒤에 있어!

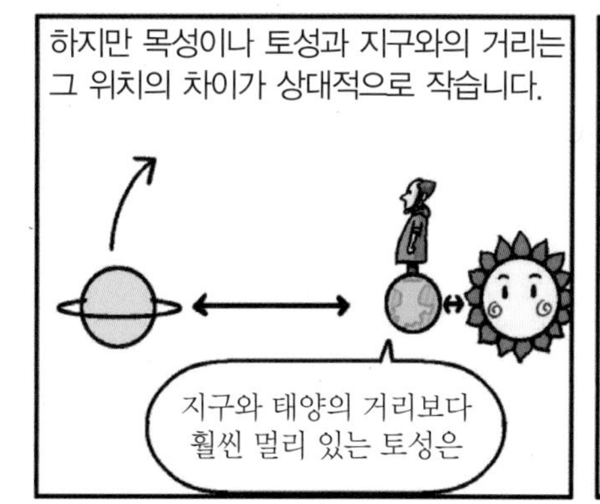
하지만 목성이나 토성과 지구와의 거리는 그 위치의 차이가 상대적으로 작습니다.
지구와 태양의 거리보다 훨씬 멀리 있는 토성은

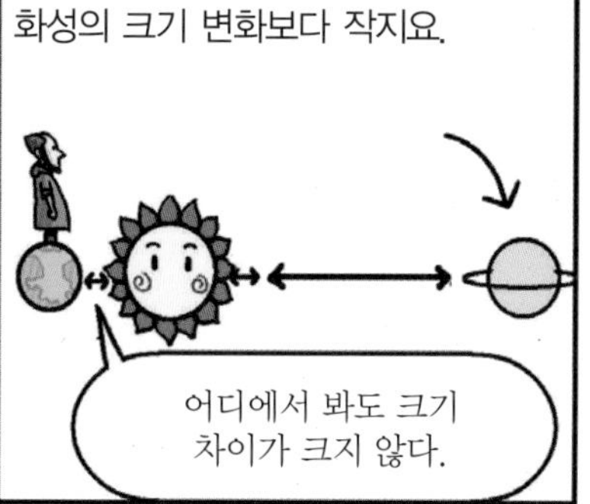
따라서 목성이나 토성의 크기 변화는 화성의 크기 변화보다 작지요.
어디에서 봐도 크기 차이가 크지 않다.

이런 사실은 실제 관측 결과와 일치하고 있습니다.

이제 달을 어디에 놓아야 할지 생각해 보도록 하죠.
달은 태양과 같은 방향에 놓이기도 하고 그 반대 방향에 놓이기도 하니까,

달→
달의 궤도는 지구를 품고 있어야 합니다.

하지만 달의 궤도가 태양도 품고 있다면 달의 모양이 변하지 않을 겁니다.
일식도 일어나지 않을 거예요.

따라서 달은 지구 둘레의 궤도인 NP를 따라 돌아야 하겠지요.
N
A
P

자, 이제 별들은 어떻게 할 건가요?

끝없는 우주에 별들을 뿌려 놓을 건가요,

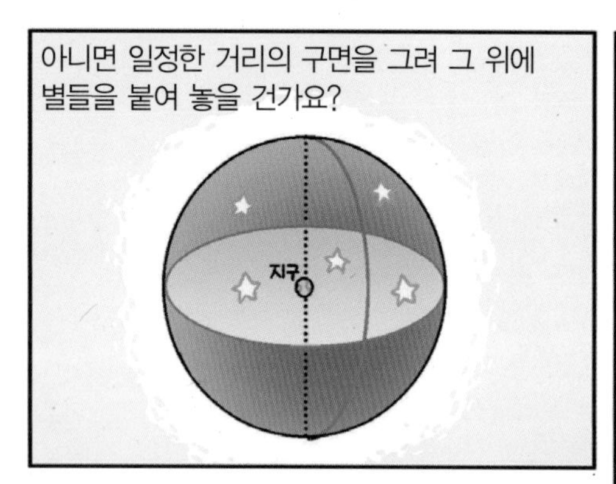
아니면 일정한 거리의 구면을 그려 그 위에 별들을 붙여 놓을 건가요?
지구

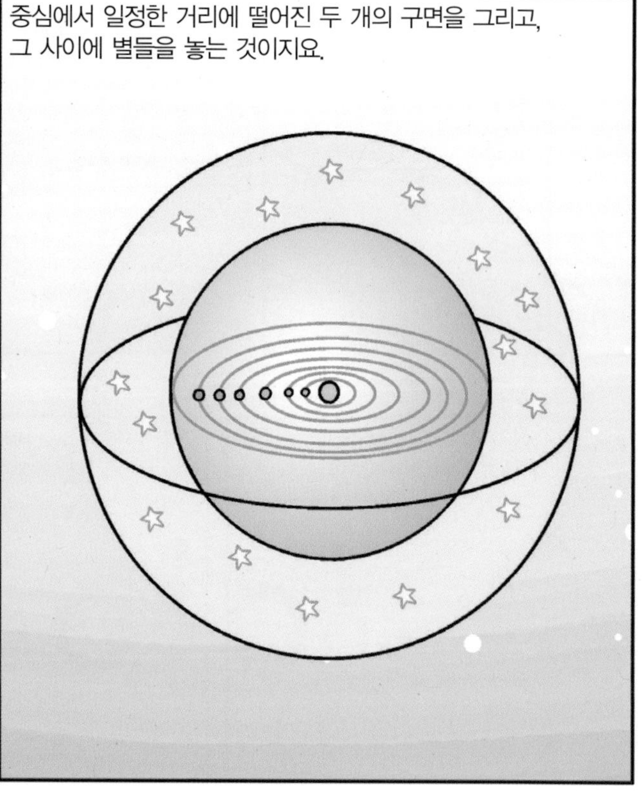
중심에서 일정한 거리에 떨어진 두 개의 구면을 그리고, 그 사이에 별들을 놓는 것이지요.

저는 그 중간 방법을 택하겠습니다.

그것을 우주의 천구라고 부르는 게 좋겠군요.

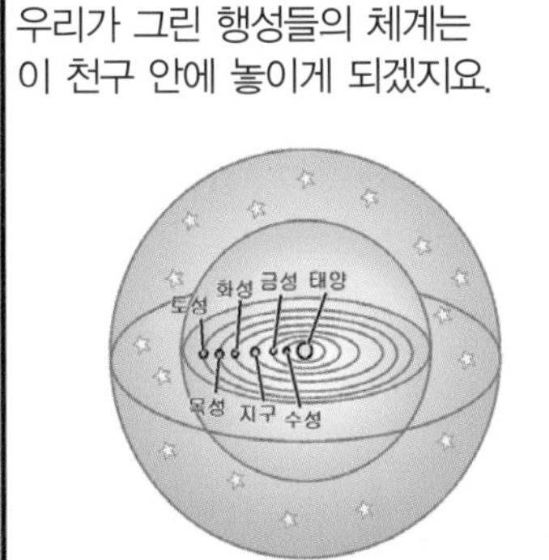
우리가 그린 행성들의 체계는 이 천구 안에 놓이게 되겠지요.
토성
화성 금성 태양
목성 지구 수성

심플리치오. 지금까지 우리가 한 것을 보면, 코페르니쿠스가 천체를 배치한 결과와 같습니다.

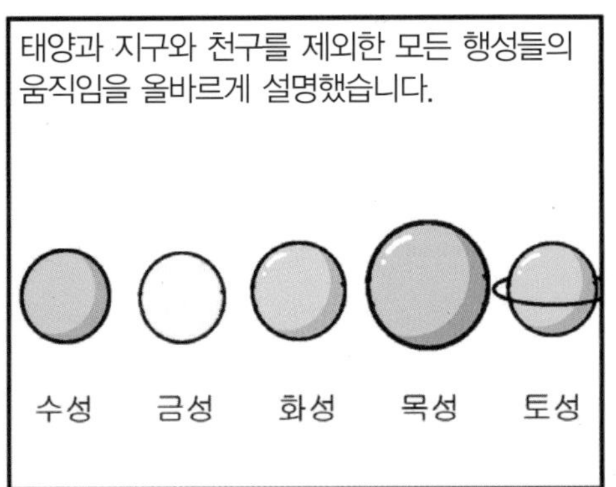
태양과 지구와 천구를 제외한 모든 행성들의 움직임을 올바르게 설명했습니다.
수성 금성 화성 목성 토성

후후, 난 천재니까.

이제 태양과 지구와 천구의 움직임을 생각해 봅시다.
지구는 금성과 화성 사이에 놓여 있죠.
칭찬은 벌써 끝이야?

금성은 9개월, 그리고 화성은 2년에 한 번 태양의 둘레를 돌죠.
금성
화성

그렇다면 지구가 움직이지 않는다고 하는 것보다 1년에 한 번 태양의 둘레를 돈다고 생각하는 편이 훨씬 더 합리적이지 않겠습니까?
그 대신 태양은 움직이지 않는다고 생각하면 되지요.
지구
C 금성
B 수성
태양

만일 지구가 자전을 하지 않으면서 공전을 한다면 1년의 6개월은 낮이고,
잠 좀 자자.

나머지 6개월은 밤이어야 합니다.
하지만 실제로는 그렇지 않죠.

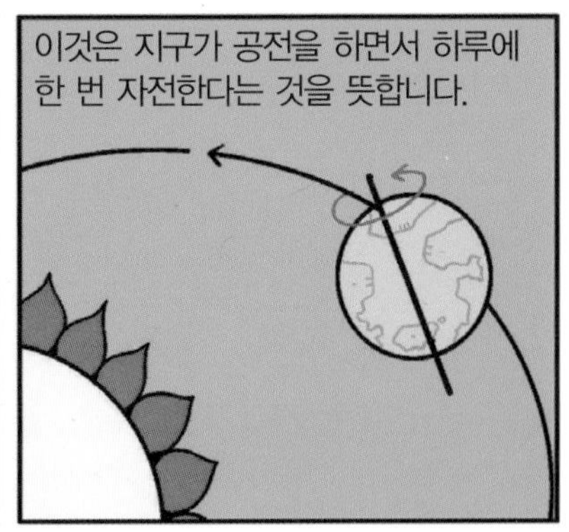
이것은 지구가 공전을 하면서 하루에 한 번 자전한다는 것을 뜻합니다.

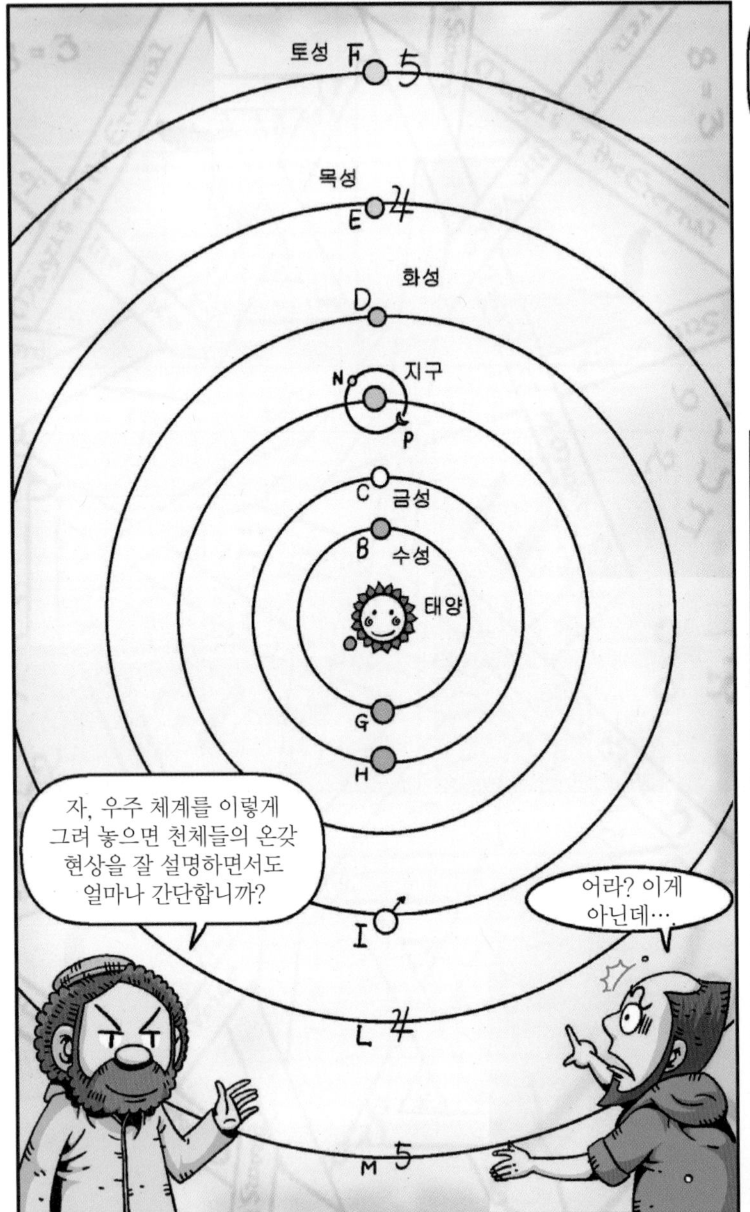
토성 F
목성 E
화성 D
N 지구
P
C 금성
B 수성
태양
G
H
I
L
M
자, 우주 체계를 이렇게 그려 놓으면 천체들의 온갖 현상을 잘 설명하면서도 얼마나 간단합니까?
어라? 이게 아닌데…

새로운 우주 체계를 그리는 길고 긴 대화가 끝났어.

이 얼마나 멋진 설명이며, 그 결과 또한 얼마나 감동적이냐!

자신의 의견에 반대하는 상대로 하여금,
자신의 의견에 부합하는 이론 체계를 구축하도록 하다니 말이야.

사그레도는 이 아름다운 결과에 매료되었지.
정말 훌륭해. 훌륭하다고~.

어?

참 이상한 게 하나 있습니다!
?

여기 이처럼 단순하면서도 합리적인 이론이 있습니다.
그런데, 이 이론을 오랫동안 믿고 따르는 사람이 적었던 것일까요?

어째서 아리스토텔레스나 프톨레마이오스와 달리 아리스타르코스나 코페르니쿠스의 추종자들은
줄을 서시오.
어째, 우리 뒤는 썰렁한걸….

거의 없었던 것일까요?
많은 사람들이 혁신적인 이론에 공감하기는커녕 극도의 반감을 가졌습니다. 저도 그들로부터 여러 번 고초를 겪었습니다.
슥

사그레도는 아리스타르코스의 이 이론을 믿는 사람이 적다는 사실에 놀라고 있죠?
척

하지만 저는 오늘날까지 그 이론을 믿는 사람이 있다는 사실에 더 놀랍니다.
흠….

그들은 일상생활의 경험을 뛰어넘어 사색을 통해 합리적이고 현실적인 결론을 내렸어요.
우린 절대 눈앞의 진실을 외면하지 않았지!

주변의 핍박을 이기고 이성을 믿음의 반려자로 택한 이런 사람들이 있습니다.
그런 사람들이 끊임없이 존재했다는 사실이 정말 놀라운 일입니다.

끄덕
끄덕

살비아티, 지구의 공전에 대해 더욱 확실한 증거가 있나요?

물론 지구 공전을 입증하는 더욱 확실한 증거들이 준비되어 있습니다.
물론이지요.
씨익

거꾸로 움직이는 행성들
거꾸로 움직이는 행성들

저는 앞에서 코페르니쿠스의 우주 체계에 대해 설명했습니다.

이 우주 체계는 행성들의 여러 가지 복잡한 현상을 잘 설명해 줍니다.
하지만 여기에도 불완전한 점은 있습니다.

그러니까 천동설을 주장할 수밖에….

그중 가장 큰 난점은 화성과 금성의 크기 변화입니다.
지구에서 화성 사이의 거리를 보죠.

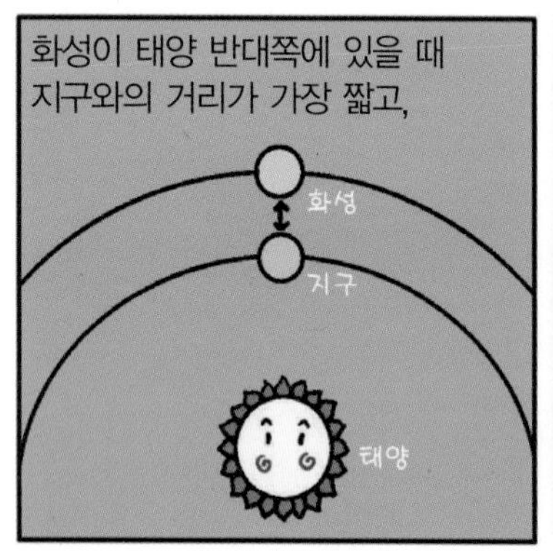
화성이 태양 반대쪽에 있을 때 지구와의 거리가 가장 짧고,
화성
지구
태양

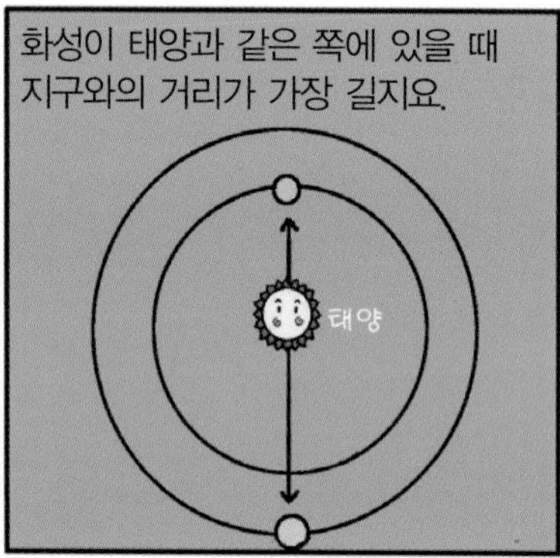
화성이 태양과 같은 쪽에 있을 때 지구와의 거리가 가장 길지요.
태양

어떤 물체의 겉보기 크기는 거리에 따라 달라집니다.

그러니 화성의 크기도 지구와의 거리에 따라 달라져야 합니다.
네, 거리에 따른 크기 차이가 무려 60배는 된다죠!

그런데 실제로 관측해 보면 그 차이가 잘해야 네댓 배밖에 안 된다는 겁니다!

도대체 이게 어떻게 된 일이죠?
여기서 말한 60배의 크기는 지름이 아니라 면적의 크기입니다.
슥

앞의 태양계 그림을 보면 지구와 화성 사이의 거리가 8배 가까이 변합니다.
거리가 멀어질수록 지름이 작아지는 것은 당연하죠.

그러니 지름도 8배 가까이 차이 날 것이고, 면적 차이는 60배쯤 되죠.
면적은 지름의 제곱에 비례해서 커지니까 동의합니다.

이 사실을 잘 생각하고 제 설명을 듣도록 해요.
끄덕

금성은 두 개의 더 큰 난점(쉽게 해결하기 어려운 점이라는 뜻)을 제기합니다.
첫째는!

금성도 화성처럼 크기 변화를 해야 하는데 코페르니쿠스의 체계에 따르면 어떻게 될까요?
그 차이가 40배는 되어야 해.

그런데 실제로 관측해 보면 크기 차이를 거의 느낄 수 없습니다.
별로 차이가 없잖아!

둘째는 금성의 모습 변화가 확실히 드러나지 않는다는 겁니다.

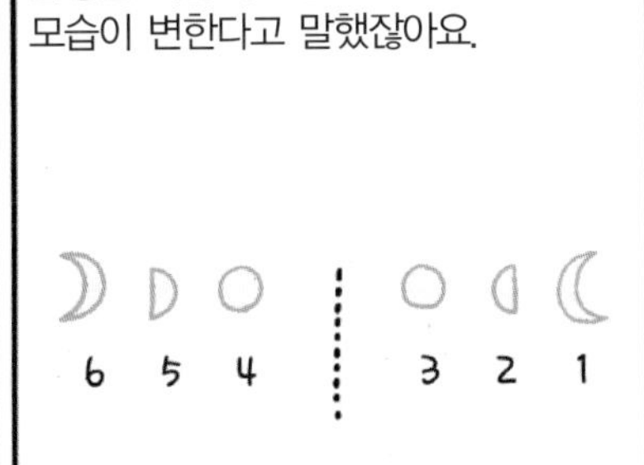
금성은 태양 주변을 돌며 달처럼 모습이 변한다고 말했잖아요.
6 5 4 3 2 1

그렇다면 낫처럼 가는 금성의 모습도 볼 수 있어야 합니다.
하지만, 언제나 둥글게 보입니다!

이런 난점들이 해결되지 않고 있습니다.
그래선 코페르니쿠스의 우주 체계가 올바르다고 할 수 없지요.

그래서 코페르니쿠스는 다음과 같이 말했습니다.
금성이 스스로 빛을 내거나, 특별한 물질로 이루어져 있어서 햇빛을 통과시키기 때문이라고 설명했지.

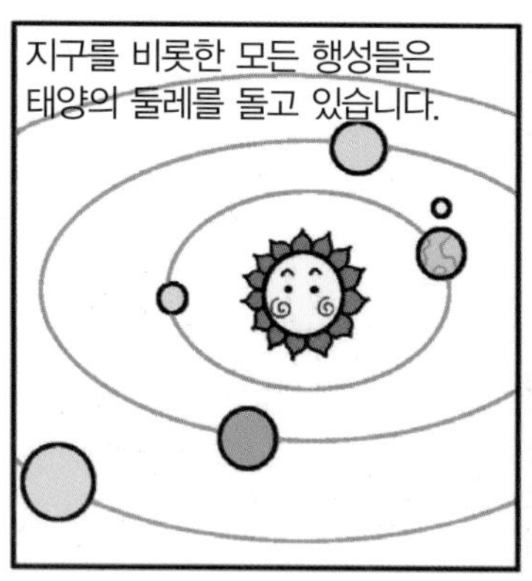

코페르니쿠스도 은근슬쩍 넘어갈 수밖에 없는 세 가지 난점!

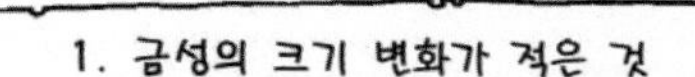

2. 금성의 모양 변화를 보기 어려운 점.

3. 그리고 달만 지구 주위를 도는 점.

제가 세 가지 난점을 해명해 드리죠!

아니, 코페르니쿠스도 몰랐던 사실을 어떻게 알았습니까?
흣~.

바로 망원경이었습니다!
이 망원경이 난점의 해답을 풀 수 있게 했지요!

망원경으로 어떻게 그런 난점을 해결할 수 있습니까?
제가 지금부터 설명해 드리겠습니다.

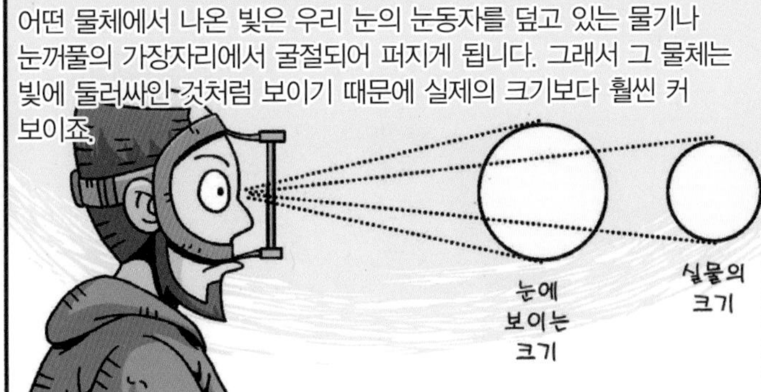
어떤 물체에서 나온 빛은 우리 눈의 눈동자를 덮고 있는 물기나 눈꺼풀의 가장자리에서 굴절되어 퍼지게 됩니다. 그래서 그 물체는 빛에 둘러싸인 것처럼 보이기 때문에 실제의 크기보다 훨씬 커 보이죠.
눈에 보이는 크기
실물의 크기

물체가 작을수록 빛에 의해 커 보이는 효과가 증가합니다.

깜깜한 밤에 목성을 한번 쳐다보세요.
우와, 크다~.
목성은 꽤 밝기 때문에 아주 커 보일 겁니다.

이번에는 카드에 바늘구멍을 뚫고
꾸욱

그 구멍으로 목성을 들여다보십시오.
여기….
네….

목성의 빛살이 사라지고 목성은 아주 작게 보일 겁니다.

맨눈으로 볼 때보다 크기가 6분의 1은 준 것 같아.

큰개자리의 1등성 시리우스도
마찬가지입니다.
오른쪽이 목성이고 왼쪽이 시리우스군!

시리우스는 밤하늘에서 가장 밝은 별인데 맨눈으로 보면 크기가 목성과 거의 같습니다.
어디….

하지만 작은 구멍으로 들여다보면 빛살이 사라집니다.
목성의 20분의 1도 안 되는 크기로 줄어들었잖아!

태양과 달은 행성이나 별에 비해 아주 크기 때문에 빛살이 큰 역할을 못합니다.
그래서 태양과 달은 깔끔한 원으로 보이죠.
흠….

무슨 이야기인지 알겠어?

우리가 보는 별의 크기는 실제의 크기가 아니라 빛살 때문에 왜곡된 크기라는 거야.
크게 보이는 별은 실제로 큰 것이 아니라 밝기 때문이라는 거지.

그럼 이 빛살을 없애는 방법이 무엇이냐고?

살비아티는 작은 구멍으로 빛살을 제거할 수 있다고 했어.
더 나아가 망원경으로 보면

빛살이 사라지고 실제의 크기를 알 수 있다는 거야.
빛살로 인한 눈의 착각이 더 이상 없어지는 거지!

망원경으로 보면 행성들의 크기가 커져서 태양이나 달처럼 깔끔한 원으로 보이기 때문이야.
예를 들어 금성과 목성을 봐.

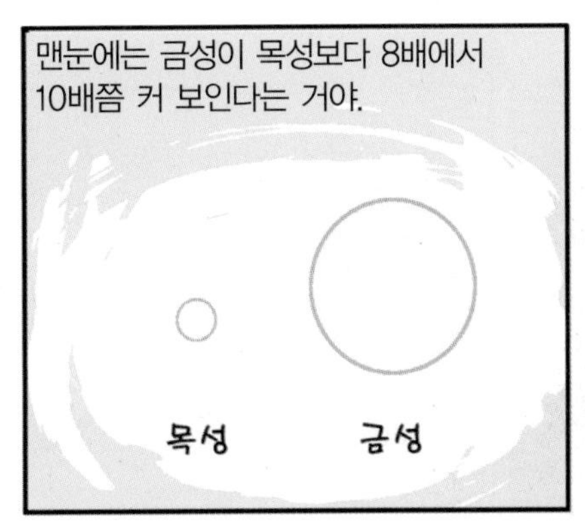
맨눈에는 금성이 목성보다 8배에서 10배쯤 커 보인다는 거야.
목성
금성

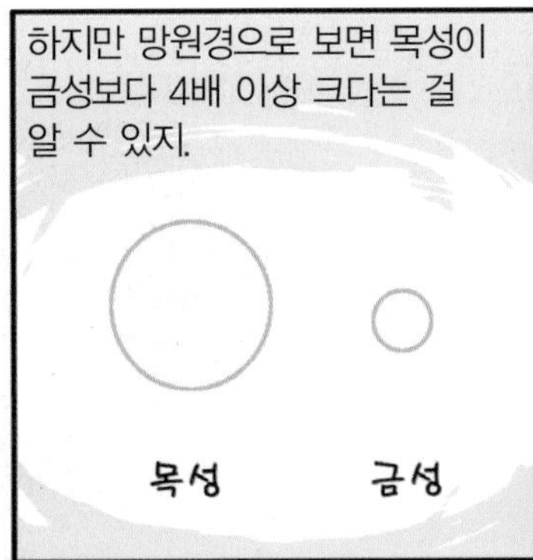
하지만 망원경으로 보면 목성이 금성보다 4배 이상 크다는 걸 알 수 있지.
목성
금성

살비아티에 따르면 망원경을 이용하여 금성이나 화성은 물론, 모든 행성의 거리에 따른 크기 변화를 정확히 알 수 있었다는 거야.
물론 그 크기 변화의 비율은 코페르니쿠스의 우주 체계를 완벽하게 뒷받침하는 것이지요!
슥

금성은 태양과 지구에 가깝기 때문에 아주 밝게 보이고, 따라서 빛살 때문에 목성보다 크게 보일 뿐이라는 거지.

그럼 망원경으로 금성의 모습 변화도 볼 수 있을까요?
당연하죠!

태양 둘레를 따라 돌면서 금성의 모습은 둥근 원에서 가는 낫, 그리고 반원으로 바뀝니다.
마치 달처럼 말이에요.

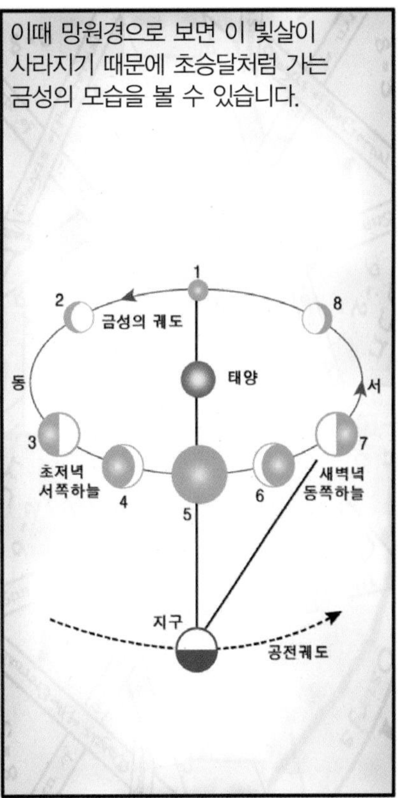
이때 망원경으로 보면 이 빛살이 사라지기 때문에 초승달처럼 가는 금성의 모습을 볼 수 있습니다.
1
2
8
금성의 궤도
태양
동
서
3
7
초저녁 서쪽하늘
4
5
6
새벽녘 동쪽하늘
지구
공전궤도

하지만 금성에서 뻗어 나오는 밝은 빛살 때문에 금성이 초승달 모습을 하고 있을 때에도 우리 눈에는 언제나 둥글게 보이죠.

그렇다면 수성의 모습
변화도 볼 수 있었나요?
그렇진
않습니다.

나도 수성의 모습 변화는
관측할 수 없었어.
철퍼

그건 수성이 아주 작고 밝기
때문에
망원경으로도 빛살을
제거할 수 없었기
때문입니다.

하지만 이제 이유를 알았기 때문에
그건 문제가 되지 않습니다.
다만 관측 기술에
관한 문제일
뿐이지요.

다음 세대에서
그 문제는 해결할 수
있지 않을까요?
관측 기술이
발달한다면
말이죠.

자, 망원경의 도움으로 세 가지의
난점 중 두 가지가 해결되었어요.
나머지 난점을
해결한 것도
망원경입니다.

지구도 다른 행성들처럼 태양
둘레를 돌고 있다면 지구도 다른
행성과 다를 바 없겠죠?
지구는 더 이상
특별한 천체가
아니야.

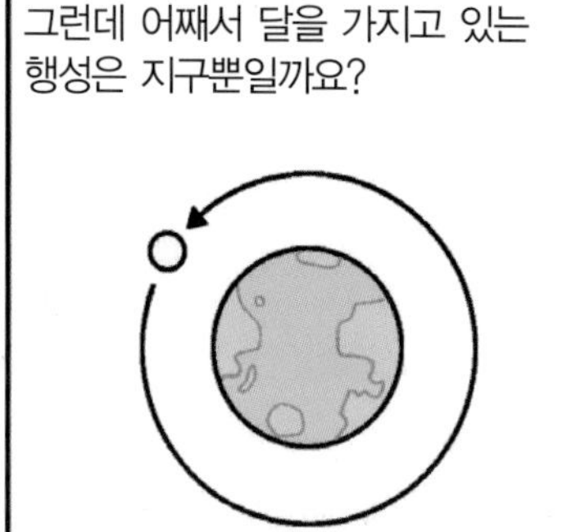
그런데 어째서 달을 가지고 있는
행성은 지구뿐일까요?

만일 지구가 특별한 천체이기
때문이라면 우주의 중심이 될 수도
있겠죠.
내가 우주의
중심이 되지 말라는
법도 없는 것 아냐?
그럼!

이것이 바로 코페르니쿠스의
고민이었죠.
어이구
골칫덩어리들!
우린 특별한
존재라고!!

그래서 망원경을 통해 다른 행성에도 달이 있나
살펴보았습니다.
그런데 목성에
서 달을 발견한
것이죠.
웅성
웅성

목성에서 달을
발견한 것이
바로 나야!

달처럼 행성의 둘레를 도는 천체를 위성이라고 해.
요즘 사람들은 태양계의
행성 중에서 수성과 금성을
제외하고는 모든 행성들이 위성을
거느리고 있다는 사실을 잘 알아.

하지만 옛날 사람들은 지구만
위성을 거느리고 있다고 생각했어.
그 이유는
단 하나!

위성들이 너무 작아 맨눈으로 볼 수
없었기 때문이야.
몇km만 떨어져도
잘 안 보이는데
별은 어떻겠어?

1610년, 나는 나 자신이 만든
망원경으로 목성을 관측했어.
아니,
이럴 수가!

그리고 맨 처음으로 4개의 위성을
발견했지.

이오, 유로파, 가니메데, 칼리스토
라고 불리는 이 4개의 위성은
우리들을 세상에선
이렇게 부르지!!
이오
유로파
가니메데
칼리스토

'갈릴레이 위성'이라고 불리고 있어.
지구는 이제 더 이상 특별한
천체가 아님이 입증된 거야.
이오
유로파
가니메데
칼리스토

자, 어떻습니까?
훌륭하군요!

살비아티는 스스로 코페르니쿠스의
이론을 위태롭게 할 수도 있는 세 가지
난점을 제기했어.
그리고 이 난점들이
모두 코페르니쿠스의
우주 체계를 옹호하는
현상임을 밝혔지.

이런 사실로 모든 행성들의 공전의
중심이 태양일 수도 있다는 거야.
그 중심은 지구가 아니라
태양일 가능성이 크다는 것이
저의 요점입니다.

잡잡...
스윽

살비아티의 설명을 충분히 이해할 수 있었습니다.
후후

하지만!
또 뭐가?

오히려 그게 더 이상하다는 겁니다.
설명한 내용들이 너무 명확하므로 프톨레마이오스나 그의 추종자들이 몰랐을 리가 없습니다.

또 프톨레마이오스의 이론으로도 그런 현상들을 설명할 수 있습니다.
그러니 프톨레마이오스는 이미 코페르니쿠스의 주장을 모두 검토한 후

이처럼 오류가 없는 이론을 만든 것입니다.
그렇지 않다면 어떻게 오랫동안 많은 사람들이 믿을 수 있겠습니까?

과학자란 어떤 사람일까요?
네?

과학자란 이전에 알려진 이론들을 확인하고,
그 이론들이 허점을 보이면 새로운 이론을 찾죠.
갑자기 웬 선문답이람.

그렇게 하면서 점점 자연의 본질을 추구해 가는 사람들이 바로 과학자입니다.

진정한 과학자라면 자신의 연구 결과를 이전의 이론에 억지로 끼워 맞추려고 하지 않습니다.
뭐… 그렇죠.

하지만 소요학파 사람들은 어땠습니까?
벌럭

모든 현상을 아리스토텔레스나
프톨레마이오스의 이론에 맞추어
해석하는 데 급급했지 않습니까?

이런 의미에서 코페르니쿠스야말로 진정한 과학자라고 할 수 있는 것입니다.
코페르니쿠스….
으….

그도 프톨레마이오스의 이론을 바탕으로 행성들 하나하나의 움직임을 살폈습니다.

그리고 이 행성들의 움직임을 하나로 묶어 우주 체계를 세우려 했습니다.
프톨레마이오스 이론으로 묶어보자고!
지익
프톨레마이오스

그런데 이렇게 만든 우주 체계가 마치 괴물처럼 이상해지는 것이었습니다.
크오~.
으악, 괴물이다!
프톨레마이오스
프톨레마이오스
다
다
다
다

신이 우주를 누더기처럼 만들었을 리가 없습니다.
이건 말도 안 돼!
쿵
쿵

진정한 과학자라면 이런 우주 체계를 그냥 받아들일 수 없는 거죠.
이건 아냐! 이건 아니라고.

많은 사람들이 프톨레마이오스의 체계를 받아들이고 있었지만, 코페르니쿠스는 그럴 수 없었습니다.
옛날 사람들 중에 혹시 다른 체계로 우주의 구조를 설명한 사람은 없었는지 찾아보자!

그 결과 피타고라스 학파의 어떤 사람이
와앗, 드디어 찾았다!

천체의 일주 운동과 연주 운동이 지구의 움직임에서 유래한다고 설명했다는 사실을 알게 되었고
으음… 이런 식의 해석이 가능하구나.

코페르니쿠스는 이 두 가지 가설을 바탕으로 행성들의 움직임과 여러 가지 특이한 현상들을 설명할 수 있는지 연구했습니다.
연구

그랬더니 우주의 전체 구조와 모든 행성들의 움직임을 설명할 수 있게 되었습니다.
그리고 그에 따라 일어나는 현상들을 간단하게 설명할 수 있잖아!

그래서 그는 이 새로운 우주 체계를 받아들이게 되었던 것입니다.
그렇다면 살비아티여. 프톨레마이오스의 이론에서는 이상하지만, 코페르니쿠스의 이론에서는 자연스러운 현상이 무엇이란 말입니까?

프톨레마이오스의 주전원을 예로 들겠습니다.

주전원에 대해 먼저 설명을 드려야겠지요? 모르시는 분들도 있을 테니까요.
그렇군요. 심플리치오 부탁합니다.

스윽
그럼… 프톨레마이오스의 대변인이자 그의 이론을 따르는 자로서 주전원에 대하여 설명 드리겠습니다!

행성들은 궤도를 따라 돌면서 가끔 이상하게 움직입니다.
…?
!

어떤 때에는 거의 움직이지 않기도 하고,
목성이 멈춰 있잖아!

또 어떤 때에는 반대 방향으로 움직이기도 합니다.
어? 반대 방향으로 가네!

행성들이 정상적인 방향으로 움직이는 것을 '순행'이라 하고,
순행!

반대 방향으로 움직이는 것을 '역행'이라고 합니다.
역행!

또 거의 움직이지 않는 것을 '유'라고 하지요.
….
유!

천동설에서는 이 현상을 설명할 수가 없었죠. 그래서 프톨레마이오스는 말했습니다.
외행성들은 작은 궤도를 그리며 지구 둘레를 돕니다.

이 작은 원을 주전원이라고 합니다.
음… 설명 감사합니다.

아직 끝나지 않았습니다!
아… 네….

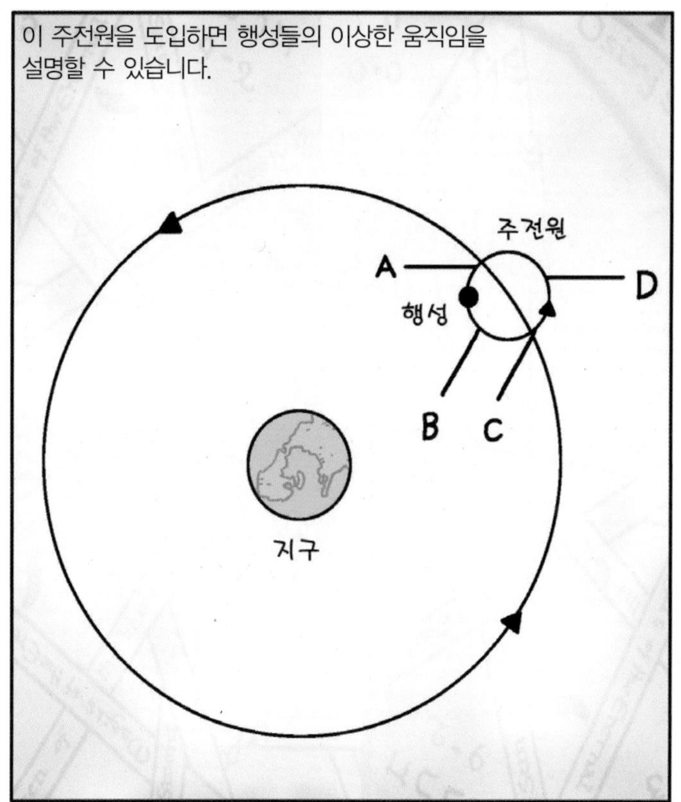
이 주전원을 도입하면 행성들의 이상한 움직임을 설명할 수 있습니다.
주전원
A
D
행성
B
C
지구

이 주전원에서 A와 C의 위치에 있을 때에는 어떻게 될까요?
행성들이 거의 움직이지 않는 것처럼 보이게 됩니다.

반면 D의 위치에 있을 때에는 순행을 합니다.
B의 위치에 있을 때에는 역행으로 보이게 되는 것입니다.

태양은 중심 O에 놓여 있어요.

지구는 태양을 중심으로 궤도 BGM을 따라 공전합니다.

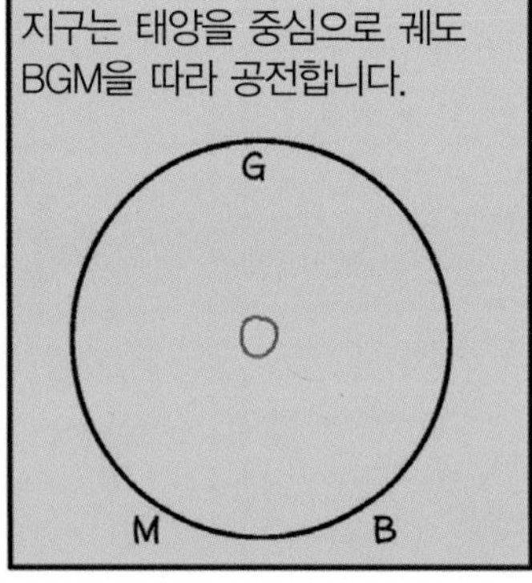

목성의 공전 궤도를 bgm, 그리고 별들이 놓여 있는 황도대를 PUA로 해 보죠.

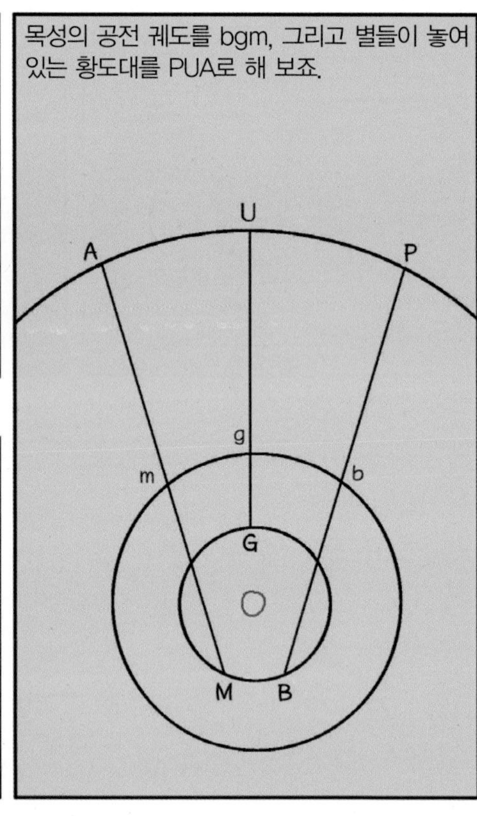

지구의 공전 궤도를 BC, CD,… KL, LM이라는 일정한 길이의 호로 나눕니다.

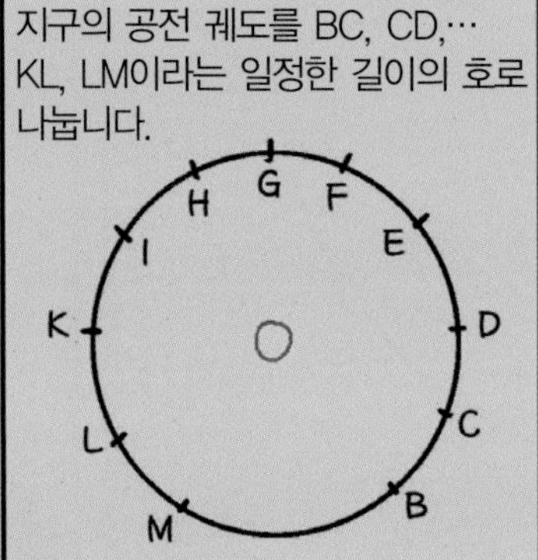

지구가 이 호를 지날 때 목성의 bc, cd, … kl, lm의 위치에서 움직인다고 생각하죠.

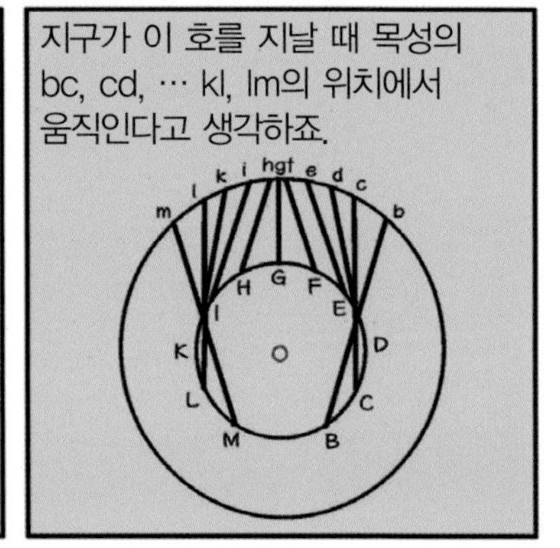

이전보다 목성의 이동 속력이 느려지고 있지요. 그러다 지구와 목성이 각각 G와 g의 위치로 이동할 때, 지구의 관측자에게 목성은 황도대의 U로 이동하는 것처럼 보입니다.

A T S U R Q P
k i hgf e d c
m l b
H G F
I E
K O D
L C
M B

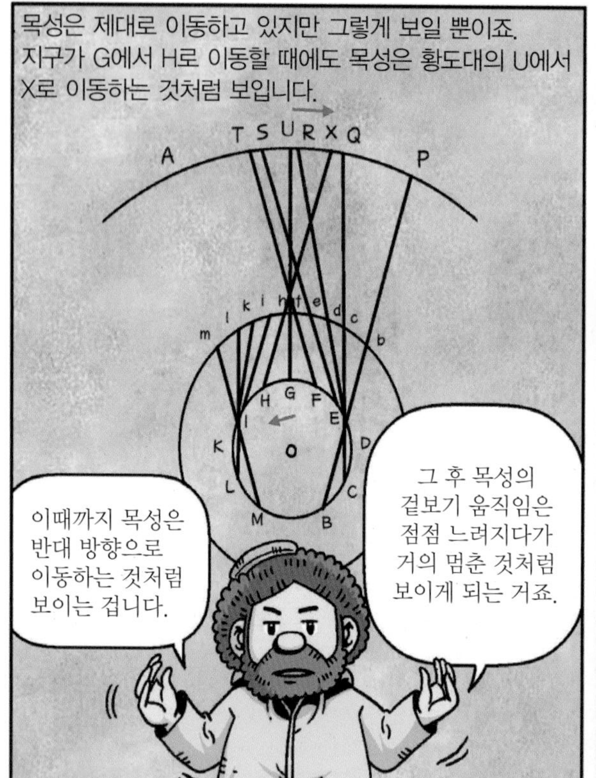
목성은 제대로 이동하고 있지만 그렇게 보일 뿐이죠. 지구가 G에서 H로 이동할 때에도 목성은 황도대의 U에서 X로 이동하는 것처럼 보입니다.
T S U R X Q
A
P
m l k i h g f e d c b
H G F
I E
K O D
L C
M B
이때까지 목성은 반대 방향으로 이동하는 것처럼 보이는 겁니다.
그 후 목성의 겉보기 움직임은 점점 느려지다가 거의 멈춘 것처럼 보이게 되는 거죠.

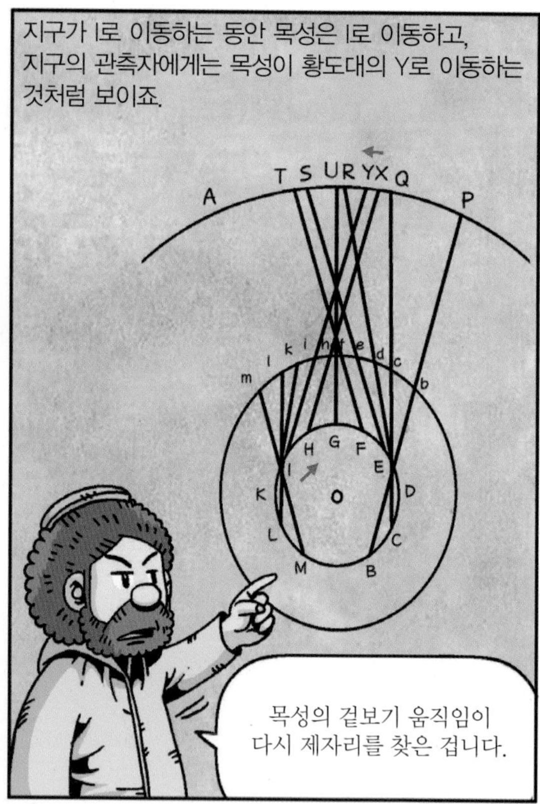
지구가 I로 이동하는 동안 목성은 I로 이동하고, 지구의 관측자에게는 목성이 황도대의 Y로 이동하는 것처럼 보이죠.
T S U R Y X Q
A
P
m l k i h g f e d c b
H G F
I E
K O D
L C
M B
목성의 겉보기 움직임이 다시 제자리를 찾은 겁니다.

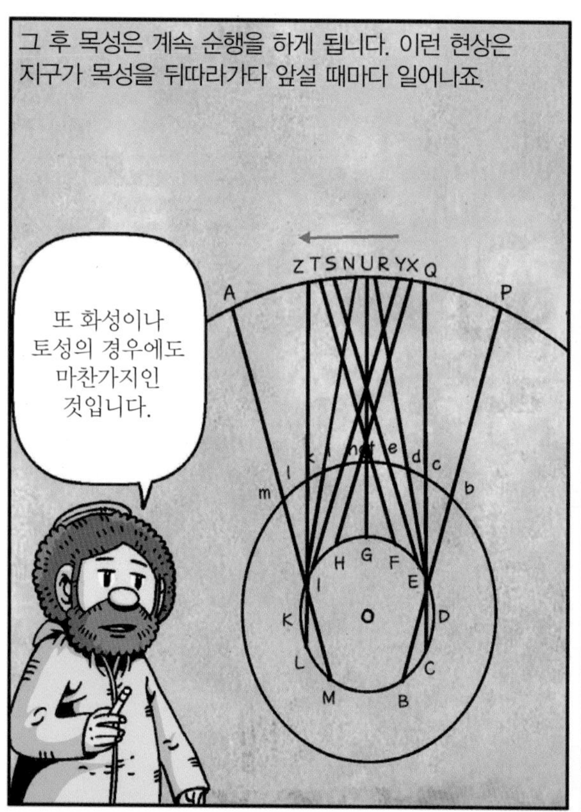
그 후 목성은 계속 순행을 하게 됩니다. 이런 현상은 지구가 목성을 뒤따라가다 앞설 때마다 일어나죠.
Z T S N U R Y X Q
A
P
m l k i h g f e d c b
H G F
I E
K O D
L C
M B
또 화성이나 토성의 경우에도 마찬가지인 것입니다.

어떤가요? 행성의 순행과 역행에 대한 설명은 코페르니쿠스의 우주 체계에서 더 복잡한 것 같습니다.
하지만!
…
웅성
웅성

프톨레마이오스의 우주 체계에서 꼭 필요한 주전원이 없이도 깔끔하게 설명할 수 있다는 거죠!

여러 가지 천문
현상을 설명하다

앞에서는 코페르니쿠스의 우주 체계를 바탕으로 행성들에게 나타나는 여러 현상들을 설명했어.
많은 것을 알 수 있었던 시간이 었습니다.

이런 현상들은 모두 태양이 우주의 중심이라는 사실을 뒷받침하고 있어.
별의 연주 운동이나 행성의 역행 같은 움직임 말이죠.

그런데 코페르니쿠스의 우주 체계를 뒷받침하는 데에는 태양 자신도 크게 기여하고 있다고 주장하시던데요?
맞습니다. 이 시간엔 그걸 얘기해 보죠!

그것이란 바로 태양의 흑점입니다!

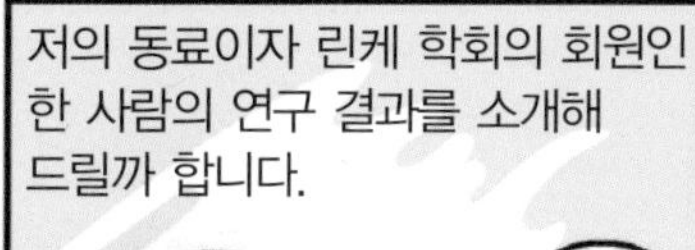
저의 동료이자 린케 학회의 회원인 한 사람의 연구 결과를 소개해 드릴까 합니다.

이름도 없이 등장하는 그 사람은 바로 나 갈릴레이야.

나는 나의 저서에서 주인공이자 나의 분신이라고 할 수 있는 살비아티의 입을 빌려 나의 연구를 소개하고 있어.
끼릭
나의 분신이자 대리인이라고 할까?
띠리 띠리

어쨌든 살비아티의 이야기를 계속 들어 보자고.

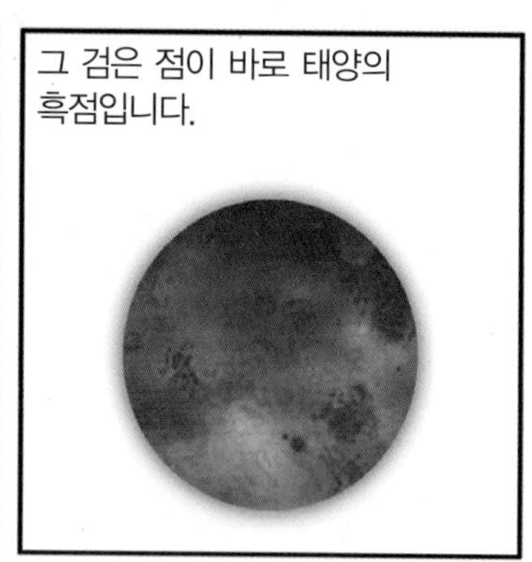

황도면이란 지구의 공전 궤도면이라고 생각하면 됩니다.

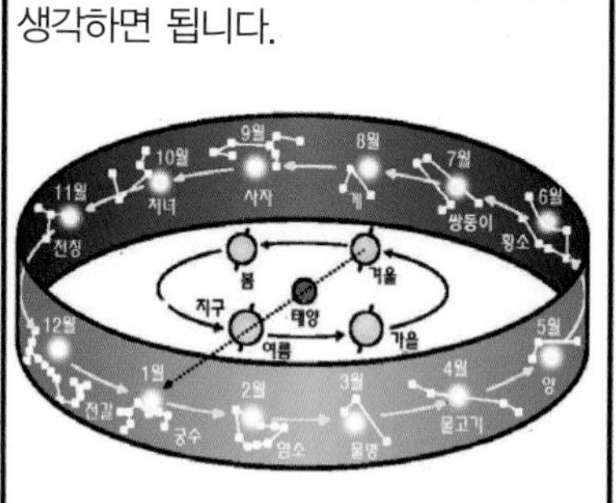

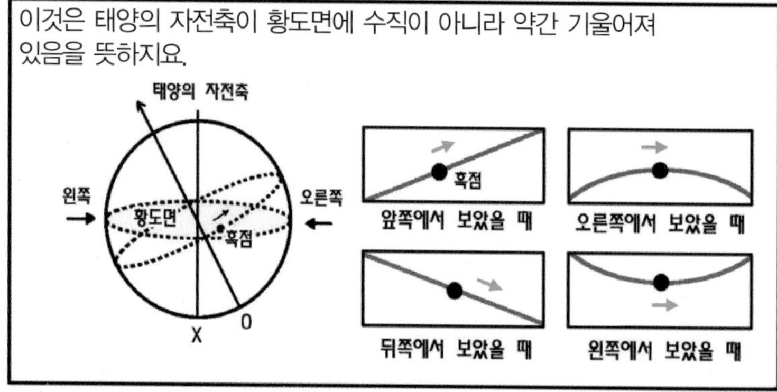

태양의 자전축이 황도면에
수직이 아니라 기울어져 있다면,
지금까지 등장한 어떤 이론보다
더 확고하게 태양과 지구에 대한
중대한 이론을 이끌어낼 수
있을 거야.

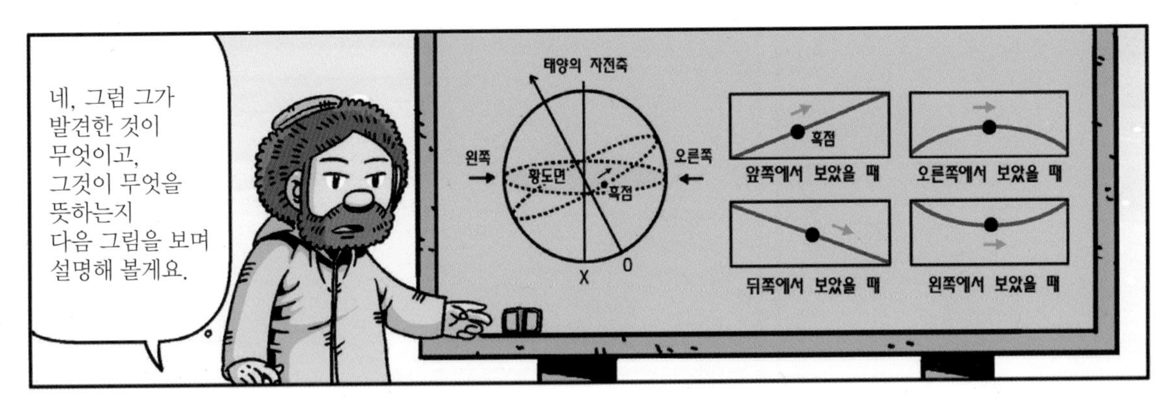

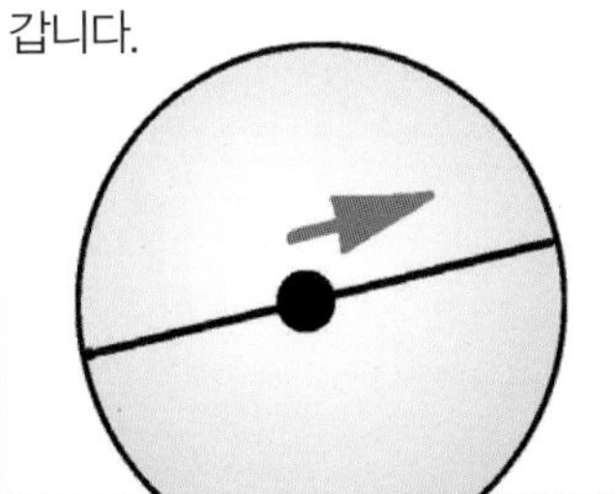

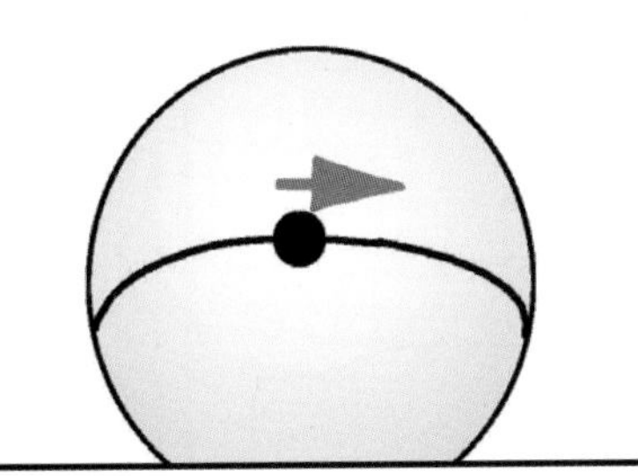

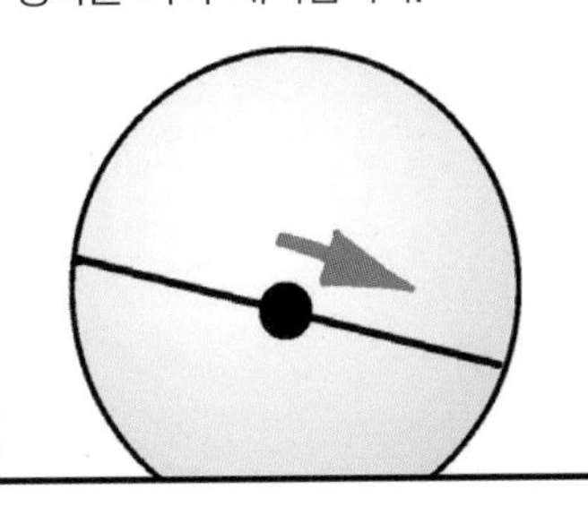

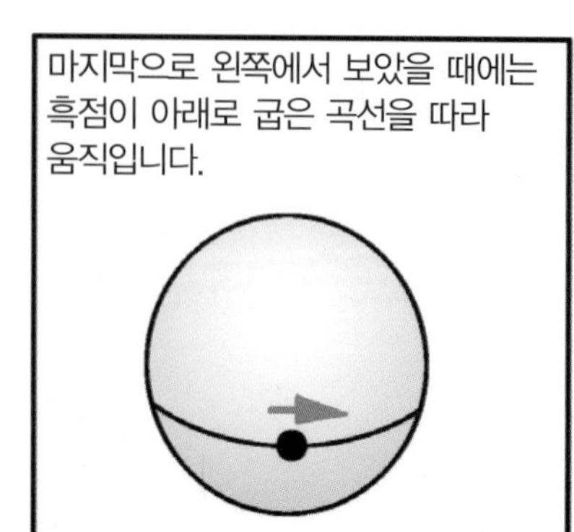
마지막으로 왼쪽에서 보았을 때에는 흑점이 아래로 굽은 곡선을 따라 움직입니다.

지금까지 설명한 내용은 저의 동료 학자가 전해 준 사실입니다.
그렇지만 이런 변화는 여러 가지 가설이 바뀌어야 하지 않습니까?

이런 변화는 지구가 공전을 하고, 태양은 황도의 중심에 놓여 있으며,

태양의 자전축이 황도면에 약간 기울어져 있을 때 나타나는 현상입니다.

뒤집어 말하면 이런 현상이 실제로 관측된다면 태양의 운동을 알 수 있습니다.
바로 태양이 모든 행성의 중심에서 약간 기울어진 채 자전하고 있다는 사실이 입증되는 거죠.
정말 흥미진진한 이야기군요! 그렇다면 실제로 관측한 결과가 어떻게 되었죠?

그 친구와 함께 여러 달에 걸쳐 흑점을 관측했으며, 그 결과는
이러다 눈 버리겠네.
그러게. 태양을 직접 본다는 것은 힘든 일인 것 같네.

우리들이 예측한 결과와 정확하게 일치했습니다!

오! 태양 흑점의 움직임은 코페르니쿠스의 우주 체계를 지지하는 강력한 증거로 등장했다는 생각이 드는군요.
후후
프톨레마이오스와 아리스토텔레스의 추종자들은 이 중대한 발견으로 패배자가 될 것이 분명하군!

하지만 말입니다!
벌떡
아직도 할 말이 있단 말야?

그런 현상이 나타난다고 해서 지구를 중심에 놓아야 한다는 것은 아니죠!

지구가 중심에 있다고 해서 그런 현상이 나타나지 말라는 법이 있냐는 거죠?

물론 그럴 수도 있어요. 하지만 잘 생각해 보세요.

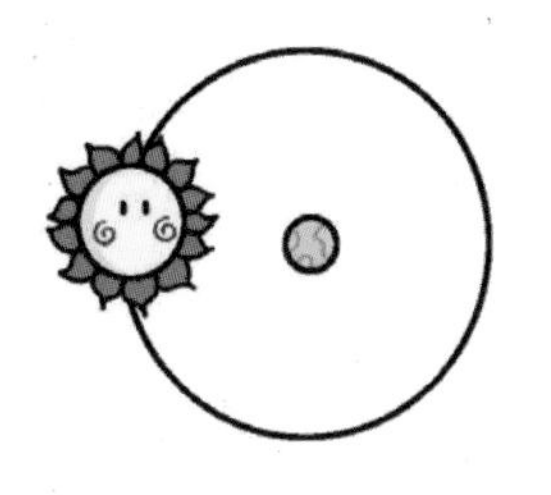
지구가 중심에 놓여 있고 태양이 그 둘레를 돌고 있다면 어떤지 말입니다.

태양은 약 한 달의 주기로 자전을 합니다.
빙글
빙글

그에 따라 흑점도 자전을 합니다.
또한 흑점의 움직이는 모습이 1년을 주기로 바뀌어야 하지요.

위로 올라가기도 하고, 위로 굽은 길을 따라 움직이기도 하며,
아래로 내려가기도 하고, 아래로 굽은 길을 따라 움직여야 하는 거지요.
헉
헉
다다다

더 나아가 태양은 황도를 따라 하루에 한 번 돌아야 합니다.
헉헉.
다다...

태양은 아침에 떠서 저녁에 지고, 다음 날 아침이면 다시 떠야 하지요.
내 몸은 하나인데 어떻게 이처럼 복잡한 운동을 하겠어?
철퍼

하지만 태양이 우주의 중심에서 황도면에 기울어진 자전축을 중심으로 돌고 있다고 생각하면,
빙글

복잡한 운동이라고 생각하던 모든 문제들이 간단히 풀리잖아!

그러니 코페르니쿠스의 우주 체계를 거부할 수 없다는 겁니다!

여기에서 잠시 자연 과학을 대하는 살비아티의 태도를 살펴볼게.

이 책에서 배워야 할 것이 단순한 과학적 사실이나 현상만은 아니거든.
그럼 무엇일까?

살비아티는 이런 말로 내 입장을 전해 주고 있어.
잘 들어 보라고.

나는 천동설과 지동설이라는 두 가지 이론 중에서 어떤 것이 옳고 어떤 것이 그르다고 결론을 지으려는 것이 아닙니다.

거듭 말하고 있지만 제 의도는 두 이론을 지지하는 물리학적이고 천문학적인 근거들의 나열입니다.
그리고 그것을 객관적으로 제시하려는 겁니다.

결론은 다른 사람들이 내리도록 남겨 두겠어요.

지금은 이렇게 서로의 주장을 펼치기만 하겠지만
언젠가는 어떤 이론이 진리인지 명확하게 결론이 나겠지요?

그렇군요. 진리는 억압과 편견에 의해 만들어지는 것이 아니니까요.

진리는 진리 그 자체일 뿐이지요.
뭐… 결코 변하지 않는 것이 진리니까요.

그래요. 우리 인간이 그 진리를 명확하게 터득할 수 있을지 아닐지는 누구도 몰라요.
하지만 그 진리를 추구하려는 자세에는 어떤 외부의 힘도 개입되어서는 안 된다고 생각합니다.

그것이 바로 자연 과학의 토대니까요.

내가 살던 시대에는
천동설 이외의 이론이
금기시되었어.

아무리 천동설이 옳더라도 다른 이론 자체를 부정하려는 사람들의 태도는
퍽
지동설

자연 과학의 발전을 저해할 뿐 아니라, 인류의 자유로운 정신을 억압하는 것이었지.
엉
엉
지
동
설

코페르니쿠스와 나는 바로 그 억압을 이겨내고 진리를 추구하고 있는 거야.
그렇게 하기 위해서 꼭 지켜야 할 것이 있어.
지동설

자신이 반대하려는 이론도 충분히 존중해야 한다는 것이지. 자, 이제 셋째 날 이야기도 막바지에 이르렀어.

지금까지 살비아티가 소개한 코페르니쿠스 우주 체계를 들었어요.

코페르니쿠스의 우주 체계는 프톨레마이오스의 우주 체계보다 아주 간단하면서도 여러 가지 복잡한 천문 현상을 깔끔하게 설명해 주었지.
이 점은 심플리치오도 부정하지 못할 겁니다.
….

현명하고 객관적인 사고를 지닌 제게는 더없이 신선한 충격이었습니다.
….

이 이론이라면 지구에서 나타나는 여러 가지 현상도 설명할 수 있나요?
그러니까 우리에게 직접 영향을 주는 현상들도 멋지게 설명할 수 있겠습니까?

구체적으로 어떤 현상을….
아, 왜 그런 거 있잖습니까?

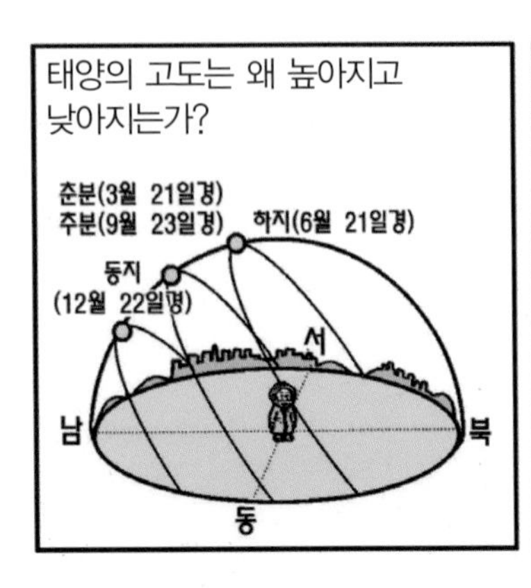

태양의 고도는 왜 높아지고
낮아지는가?
춘분(3월 21일경)
추분(9월 23일경)
하지(6월 21일경)
동지
(12월 22일경)
서
남
북
동

계절은 어떻게 바뀌는가?

낮과 밤의 길이는 왜 달라지는가?

물론 프톨레마이오스의 우주 체계에서도 이런 현상을 설명할 수 있지만,
그럼, 그럼!

코페르니쿠스의 우주 체계는 더욱 깔끔하게 설명할 수 있지 않겠느냐 이거죠.

저 버르장머리 하고는….
하하, 뭐 그런 거죠.

그 질문에 기꺼이 대답해 드릴게요.
흥!

사그레도의 궁금증을 풀기 위해 먼저 몇 가지 가설을 세우겠습니다.

살비아티는 아주 꼼꼼하고 조심스러운 성격을 지녔어.
그래서 물론 이 가설은 당연히 사실로 받아들일 수 있는 것들이지만,

아직 코페르니쿠스의 이론이 옳다고 결정된 것은 아니기 때문에 가설이라 한 거야.

살비아티가 말한 첫 번째 가설부터 들어보자.
지구는 공 모양을 하고 있으며 자전축을 중심으로 돈다는 것입니다.

또 지표의 모든 점들은 축을 중심으로 하는 원을 그리는데, 그 점이 극에 가까우면 작은 원을 그리고 멀면 큰 원을 그리죠.
물론 이 원들은 모두 평행합니다.
평행원(적도)
평행원
자전축
밤
낮
평행원
빛의 경계선

지표의 점들이 그리는 이 원들을 평행원이라고 합니다.

이 평행원이란 바로 지금 우리가 위도라고 부르는 거야.
그리고 살비아티가 잊은 것이 있는데 그건 자전축이 황도면에서 약간 기울어져 있다는 거지.

둘째, 지구를 구성하는 물질은 투명하지 않기 때문에 햇빛을 통과시키지 않는다는 가설입니다.
탁

그렇기 때문에 햇빛을 받는 쪽은 밝고 그 반대쪽은 어둡습니다.

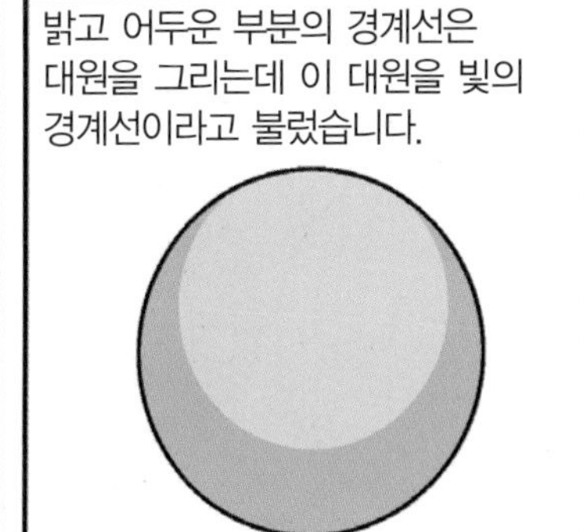

밝고 어두운 부분의 경계선은 대원을 그리는데 이 대원을 빛의 경계선이라고 불렀습니다.

셋째, 빛의 경계선이 지구의 양 극을 지날 때의 평행원이 나눠지는 것에 대한 가설입니다.
이 경계선은 모든 평행원을 반으로 나눕니다. 위의 그림을 다시 보십시오.

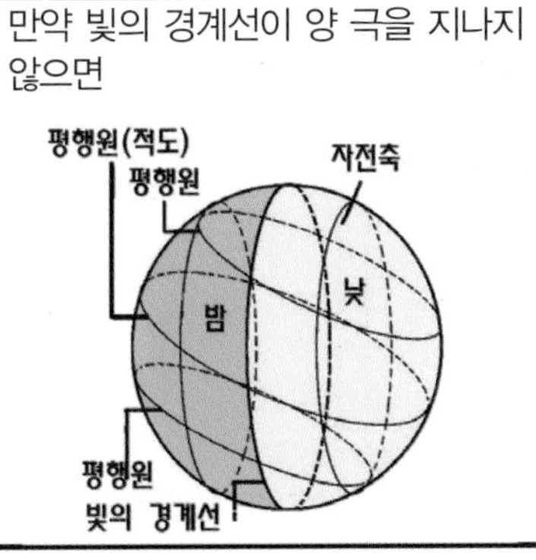

만약 빛의 경계선이 양 극을 지나지 않으면
평행원(적도)
평행원
자전축
밤
낮
평행원
빛의 경계선

적도의 원을 제외하고는 모든 평행원을 다른 길이로 나눕니다.

넷째, 지구는 자전하고 있으니 낮과 밤의 길이는 평행원들의 호의 길이에 의해 결정된다는 겁니다.

햇빛을 받고 있는 반구 쪽의 호는 낮의 길이를 뜻하고,
평행원
밤
낮
호가 길면 낮도 길지!

그 반대쪽 호는 밤의 길이를 뜻하는 거지요.
호가 짧으면 밤도 짧지!
밤
낮

자, 그럼 설명을 시작해 보겠습니다.
정말 기대되는 군요.
어디 한번 해보시지요!

지구는 황도 위에서 태양을 중심으로 돌고 있습니다.
다음 그림을 보며 잘 들어 보세요!

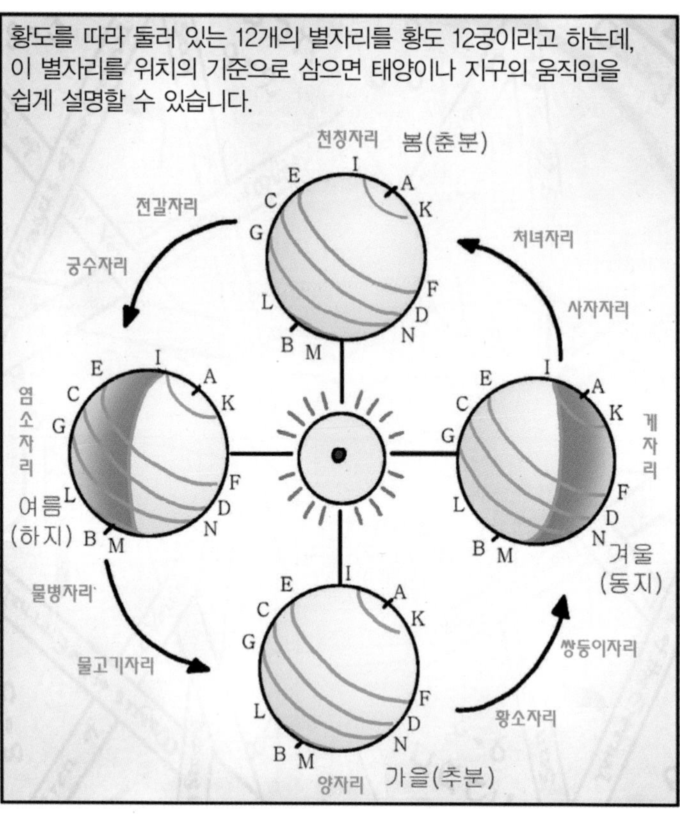
황도를 따라 둘러 있는 12개의 별자리를 황도 12궁이라고 하는데, 이 별자리를 위치의 기준으로 삼으면 태양이나 지구의 움직임을 쉽게 설명할 수 있습니다.
천칭자리
봄(춘분)
전갈자리
궁수자리
처녀자리
사자자리
염소자리
여름(하지)
게자리
겨울(동지)
물병자리
물고기자리
쌍둥이자리
황소자리
양자리
가을(추분)

지구가 천칭자리, 염소자리, 양자리, 게자리에 있을 때의 계절을 정합니다.
각각 춘분, 하지, 추분, 동지라고 해 보겠습니다.

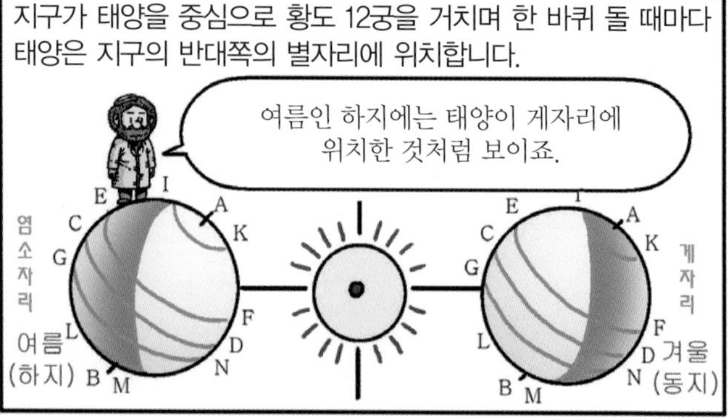
지구가 태양을 중심으로 황도 12궁을 거치며 한 바퀴 돌 때마다 태양은 지구의 반대쪽의 별자리에 위치합니다.
여름인 하지에는 태양이 게자리에 위치한 것처럼 보이죠.
염소자리
여름(하지)
게자리
겨울(동지)

따라서 태양이 황도 12궁을 도는 것처럼 보이지요.
황도는 태양이 지나는 길이란 뜻이야.
다다

이 그림을 보면 태양이 1년에 한 바퀴 돈다는 것을 명확히 알 수 있습니다.
흐음….

코페르니쿠스의 우주 체계로 태양의 운동을 설명할 수 있습니다.
태양의 연주 운동이 아주 간단하게 설명됩니다!

이번에는 태양의 고도와 계절이 바뀌는 이유를 설명해 보도록 하겠습니다.

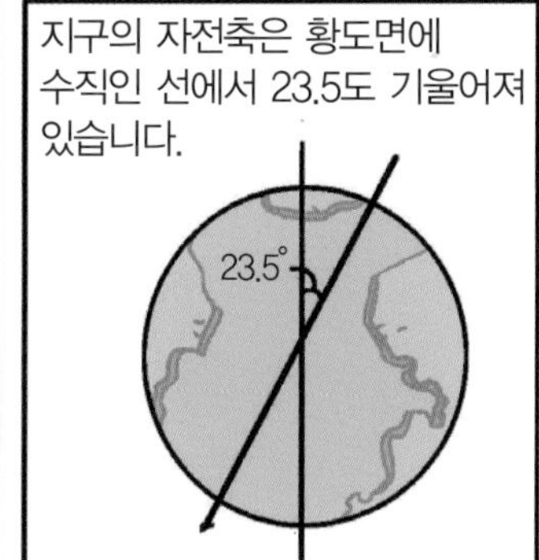
지구의 자전축은 황도면에 수직인 선에서 23.5도 기울어져 있습니다.
23.5°

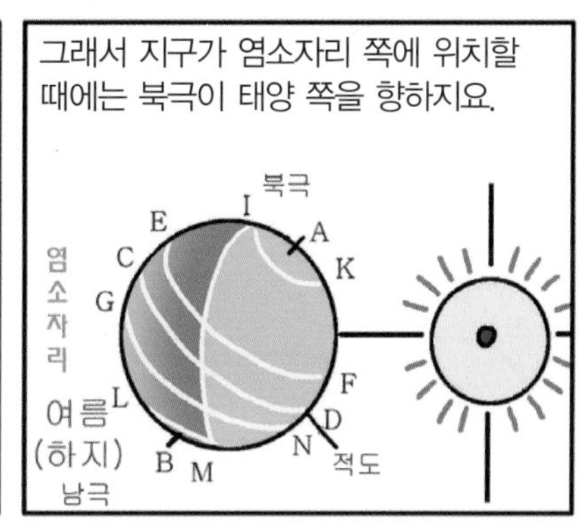
그래서 지구가 염소자리 쪽에 위치할 때에는 북극이 태양 쪽을 향하지요.
북극
I
E
A
C
K
G
L
F
D
N
B
M
염소자리
여름 (하지)
남극
적도

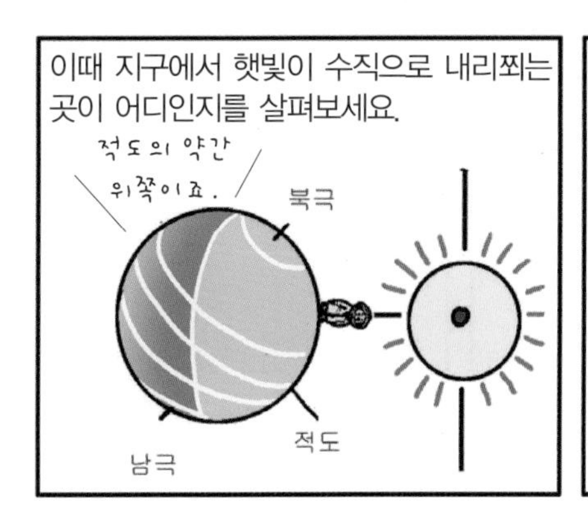
이때 지구에서 햇빛이 수직으로 내리쬐는 곳이 어디인지를 살펴보세요.
적도의 약간 위쪽이죠.
북극
남극
적도

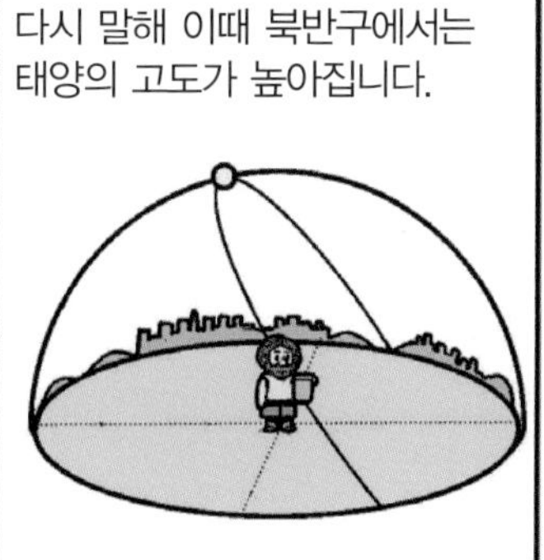
다시 말해 이때 북반구에서는 태양의 고도가 높아집니다.

태양의 고도가 높으면 당연히 지표가 햇빛을 많이 받아 따뜻해집니다.
그러니 기온이 높은 여름이 되지요.
달력

북반구에서 태양의 고도가 가장 높은 때를 하지라고 합니다.
이때가 6월 21일쯤 입니다.
지익
6月
21

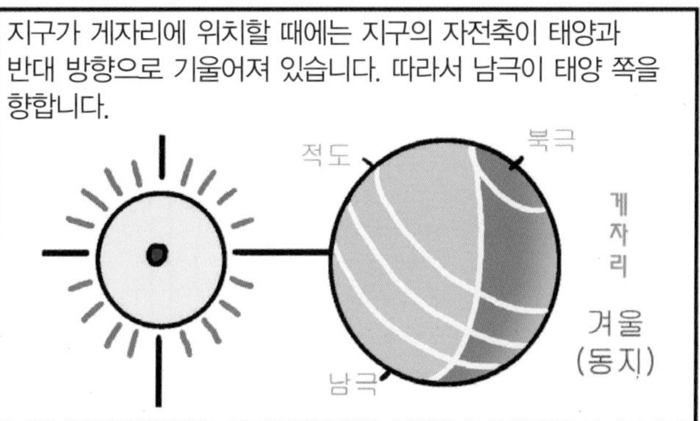
지구가 게자리에 위치할 때에는 지구의 자전축이 태양과 반대 방향으로 기울어져 있습니다. 따라서 남극이 태양 쪽을 향합니다.
적도
북극
게자리
겨울 (동지)
남극

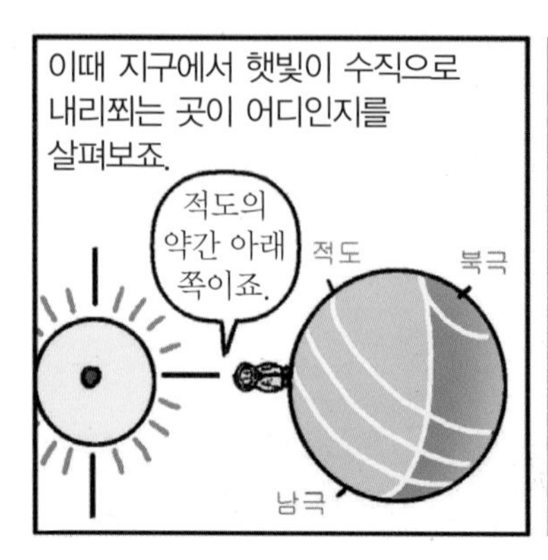
이때 지구에서 햇빛이 수직으로 내리쬐는 곳이 어디인지를 살펴보죠.
적도의 약간 아래쪽이죠.
적도
북극
남극

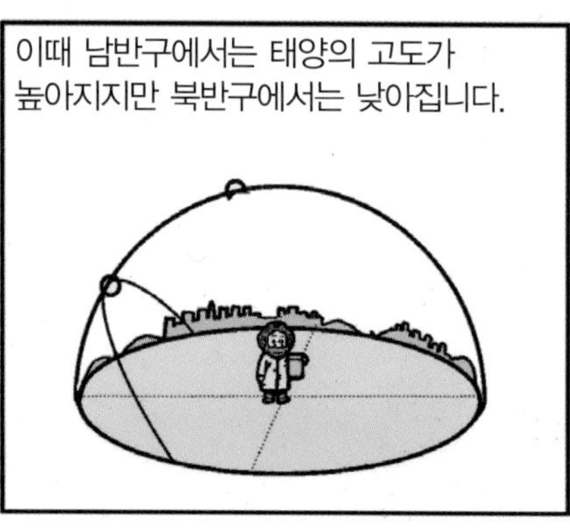
이때 남반구에서는 태양의 고도가 높아지지만 북반구에서는 낮아집니다.

태양의 고도가 낮으면 지표가 햇빛을 적게 받아 차가워집니다.
그러니 기온이 낮은 겨울이 되지요.

북반구에서 태양의 고도가 가장 낮을 때를 동지라고 합니다.
12월 22일쯤 입니다.
부웅
12월
22

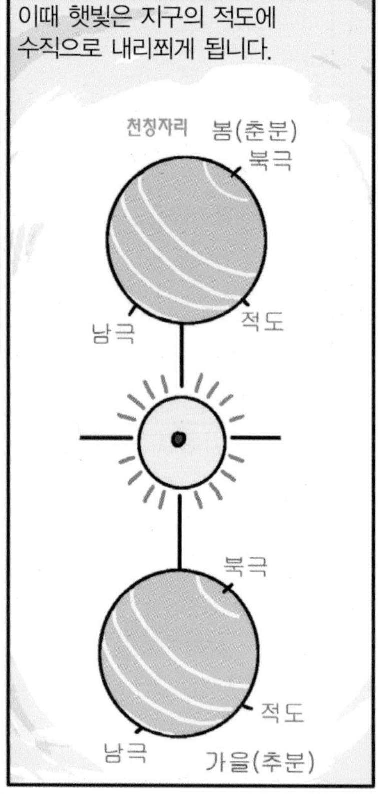
이때 햇빛은 지구의 적도에 수직으로 내리쬐게 됩니다.
천칭자리
봄(춘분)
북극
남극
적도
북극
적도
남극
가을(추분)

따라서 북반구에서는 태양의 고도가 높지도 낮지도 않습니다.
그렇기 때문에 날씨가 덥지도 않고 춥지도 않습니다. 이때가 바로 봄과 가을이지요.

지구가 천칭자리에 있을 때를 춘분, 양자리에 있을 때를 추분이라고 해요.

3월 21일쯤을 춘분, 9월 23일쯤을 추분이라고 해요.
이제 어째서 태양의 고도와 계절이 바뀌는지 알게 되었을 겁니다.

마지막으로 낮과 밤의 길이가 달라지는 이유를 설명해 보도록 하겠습니다.
먼저 여름의 밤낮의 길이를 살펴볼게요.

햇빛은 언제나 지구의 절반을 비춥니다. 그런데 지구는 약간 기울어진 채 자전을 하지요. 그 결과 위도에 따라 밤낮의 길이가 달라지는 겁니다.
이 위도에선 밤이 짧고
낮이 길어서 밤낮의 길이가 다르구나!
밤
낮

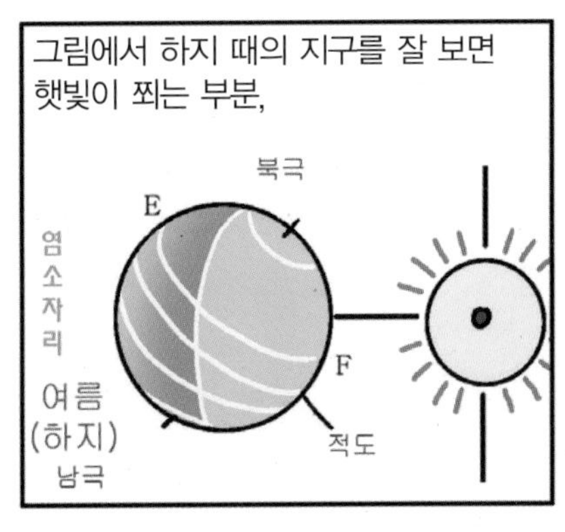
그림에서 하지 때의 지구를 잘 보면 햇빛이 쬐는 부분,
북극
E
염소자리
여름
(하지)
남극
F
적도

즉 낮은 흰색으로 나타냈고요. 어두운 부분은 밤이 되는 거죠.
그런데 북반구의 평행원 EF는 낮과 밤을 가르는 빛의 경계선에 의해 두 부분으로 나뉩니다.

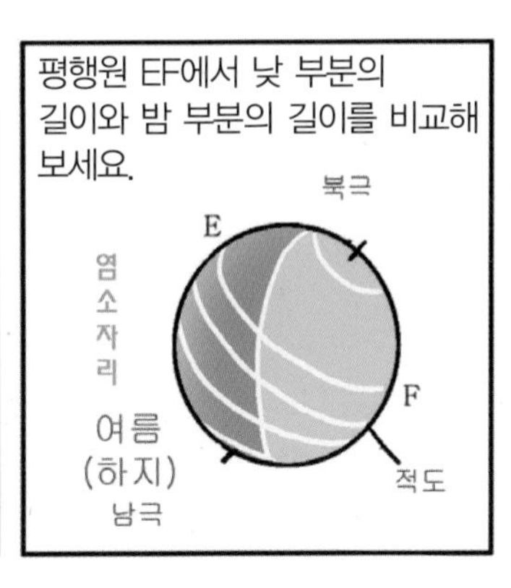
평행원 EF에서 낮 부분의 길이와 밤 부분의 길이를 비교해 보세요.
북극
E
염소자리
여름
(하지)
남극
F
적도

낮 부분의 길이가 깁니다. 이것으로 낮, 밤의 길이 차이를 알 수 있습니다.
하지 때 북반구에서는 낮이 밤보다 길다는 것을 뜻하죠.

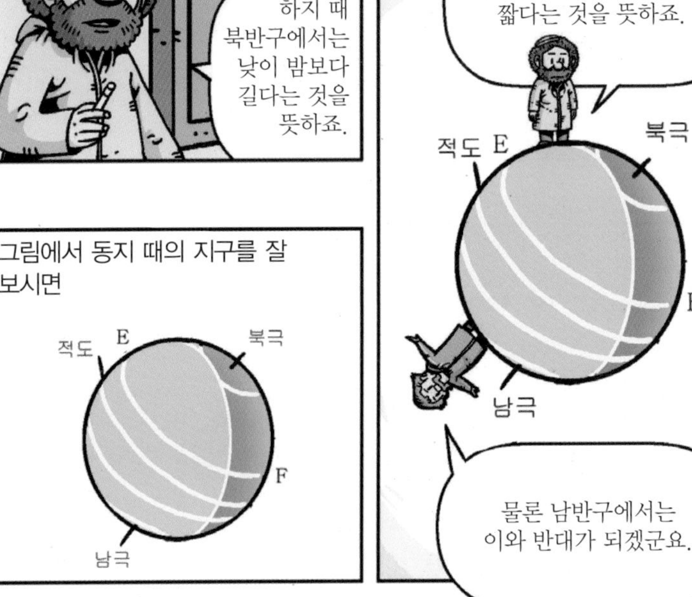
그림에서 동지 때의 지구를 잘 보시면
적도
E
북극
F
남극
이때는 평행원 EF에서 낮 부분의 길이보다 밤 부분의 길이가 더 깁니다.
이것은 동지 때 북반구에서는 낮이 밤보다 짧다는 것을 뜻하죠.
적도
E
북극
F
남극
물론 남반구에서는 이와 반대가 되겠군요.

코페르니쿠스의 우주 체계는 아주 간단합니다.
지구가 기울어진 채 태양 둘레를 돌기만 하면 되는 거지요.

그렇지만 계절이 바뀌고, 계절에 따라 태양의 고도와 밤낮의 길이가 바뀌는 이유를 깔끔하게 설명할 수 있어요.
태양의 연주 운동도 마찬가지고 말이죠!

살비아티의 설명에 깊이 감동을 받았습니다. 예로부터 전해지는 철학자들의 격언이 생각나는군요.

자연은 쓸데없이 일을 복잡하게 만들지 않는다. 자연은 가장 쉽고 간단한 방법으로 모든 현상을 나타낸다. 자연은 헛된 일을 하지 않는다.
오~.
오~.
오~.

제6장
넷째 날 이야기

이제 마지막 넷째 날이야.

사그레도는 살비아티와 심플리치오가 늦을까봐 초조하게 기다렸지.
왜들 안 오지? 아… 아직 시간이 안 됐지?

어서 오세요.

그럼… 넷째 날 이야기를 시작해 보도록 하겠습니다.

오늘의 주제는 밀물과 썰물입니다!

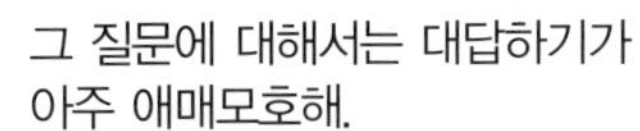

살비아티는 첫째 날부터 셋째 날까지 지동설에 대해 아주 섬세하게 설명해 왔어.

*인력 – 공간적으로 떨어져 있는 물체끼리 서로 끌어당기는 힘.

**조석 현상 – 달, 태양 따위의 인력에 의해 해면이 주기적으로 높아졌다 낮아졌다 하는 현상.

어때? 내가 왜 조석 현상을 지구의 움직임과 연계시키게 되었고,
또 어떻게 설명하려 했는지 알아보는 것도 의미 있는 일이겠지?

과학 문제를 다룰 때에는 먼저 그 결과들을 잘 알아야 원인을 밝힐 수 있습니다.
그럼 먼저 조석 현상에 대해 관찰해 보아야겠군요!

네! 조석 현상에는 세 가지 주기가 있습니다.

첫째는 매일 일어나는 조석 현상입니다.
대부분의 바닷가에서는 여섯 시간을 주기로 바닷물이 밀려들어왔다가 밀려나갑니다.
촤악

하루는 24시간이니 밀물과 썰물이 두 번씩 있는 셈이네요.
그렇죠.

둘째는 한 달을 주기로
밀물과 썰물의 정도가 달라지는 현상입니다.

초승(정확히는 삭)과 보름에는 밀물과 썰물의 차이가 커요.
이때를 '사리' 라고 하지요.

또 상현과 하현 때에는 밀물과 썰물의 차이가 작지요.
상현
하현
이때를 '조금' 이라고 합니다.

셋째는 1년을 주기로 밀물과 썰물의 차이가 바뀌는 현상입니다.
이것은 아마 태양에서 유래한 것이라고 생각됩니다.

이런 모든 현상이 지구의 자전과 공전 때문에 일어난다고….
하지만 이런 현상이 아주 오래 전부터 있었고,

또 소요학파 사람들이 이미 이런 현상의 원인을 설명해 놓았습니다.

그 설명에 대해 다시 들어볼 수 있을까요?
물론입니다!
끄덕

그럼 아리스토텔레스의 추종자들이 밀물과 썰물의 원인을 어떻게 생각했는지 들어 보시기 바랍니다.

소요학파의 성직자 한 사람은
달이 하늘을 돌아다니며 바닷물을 끌어당기고 있습니다!

그렇기 때문에 달의 아래쪽은 늘 밀물이 됩니다.
촤아아…

그런데 달이 지평선 아래로 내려간 후에 다시 밀물이 되는데 그 이유는 제대로 밝히질 못하고 있지 않나요?
또 어떤 사람은…

달이 물에 열을 가하기 때문에 밀물과 썰물이 생긴다고 설명했어요.
물의 온도가 높아지면 부피가 늘어나 밀물이 되는 거지요.

소요학파 사람들의 견해는 말이 안 됩니다.
그렇습니다. 말이 안 돼요!

그런데 잘 생각해 봐.
조석 현상이 달 때문에 생긴다는 견해는 현대 천문학의 조석 이론과 같아.

조석 현상의 원인을 달이라고 본 것은 소요학파 사람들이 더 옳았던 거야.
다만 구체적인 설명을 못했을 뿐이지.

여기에서 잠시 생각해 볼 것이 있어.

소요학파 성직자는 달이 바닷물을 끌어당긴다고 했잖아.
이건 맞는 말이야.

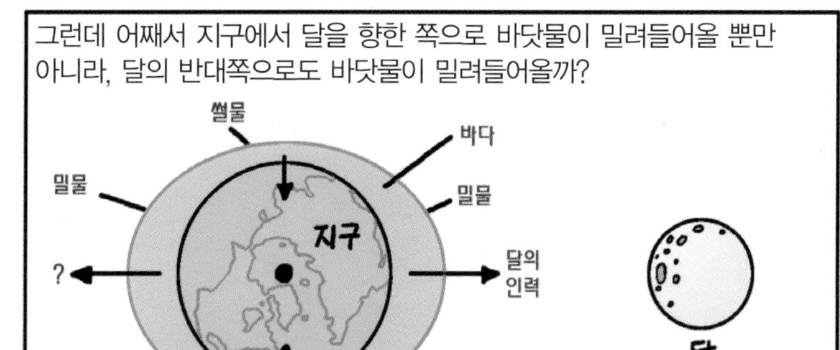
그런데 어째서 지구에서 달을 향한 쪽으로 바닷물이 밀려들어올 뿐만 아니라, 달의 반대쪽으로도 바닷물이 밀려들어올까?
썰물
바다
밀물
밀물
지구
?
달의 인력
달

그 성직자도 이것에 대한 설명을 하지는 못했어.
나의 한계야!
철퍽

그 이유는 달과 지구가 서로 돌기 때문이야.

다시 말해 지구의 움직임 때문에 일어나는 현상이라고 말할 수 있지.
앞에서 나의 이론이 맞기도 한다는 부분이 바로 여기야.

이것에 대해서는 나중에 좀 더 구체적으로 설명해 줄게.
우선 잘 기억해 둬.

출렁
제 설명은 간단합니다. 물그릇을 움직이면 물이 반대 방향으로 쏠리는 것처럼

지구가 움직이고 있기 때문에 바닷물이 한쪽으로 쏠려 조석 현상이 일어난다는 것이죠.
촤아아..

물론 지구가 일정한 속력으로 움직이면 그런 현상이 일어나지 않아요.

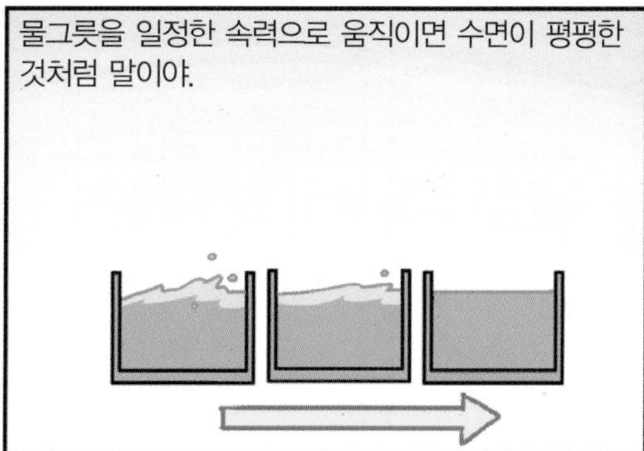
물그릇을 일정한 속력으로 움직이면 수면이 평평한 것처럼 말이야.

어렵죠? 제 주장을 다음 그림을 보면서 설명해 보도록 할게요.

D
지구
자전 방향
E
B
G
F
지구
공전 방향
C
A
A는 태양의 위치입니다.

지구는 A를 중심으로 BC의 궤도를 공전하죠.
B를 중심으로 한 작은 원 DEFG를 지구라고 하겠습니다.

또한 지구는 B를 중심으로 D에서 E로 자전을 합니다.
이 그림에서는 공전과 자전이 모두 반시계 방향으로 나타나 있습니다.

이 그림을 보면 지구가 자전을 하면 지구 표면의 각 지점들은
시간에 따라 반대 방향으로 운동을 하게 됨을 알 수 있어요.

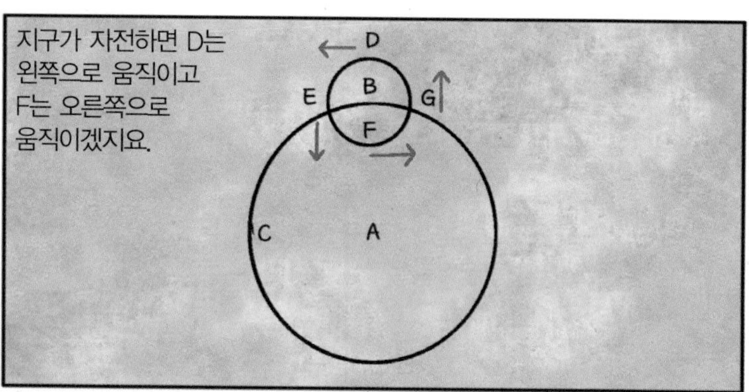
지구가 자전하면 D는 왼쪽으로 움직이고 F는 오른쪽으로 움직이겠지요.
D
E
B
G
F
C
A

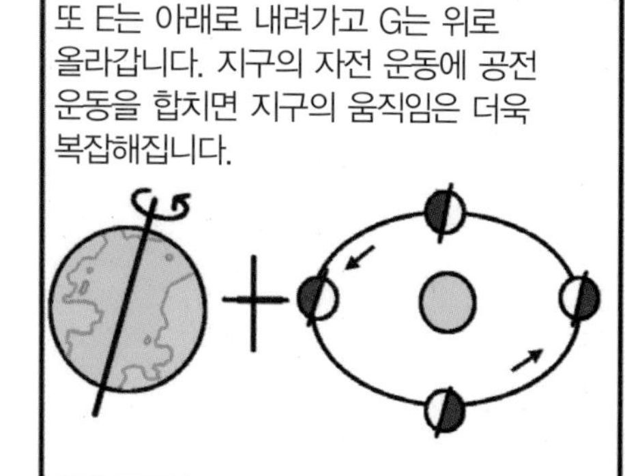
또 E는 아래로 내려가고 G는 위로 올라갑니다. 지구의 자전 운동에 공전 운동을 합치면 지구의 움직임은 더욱 복잡해집니다.

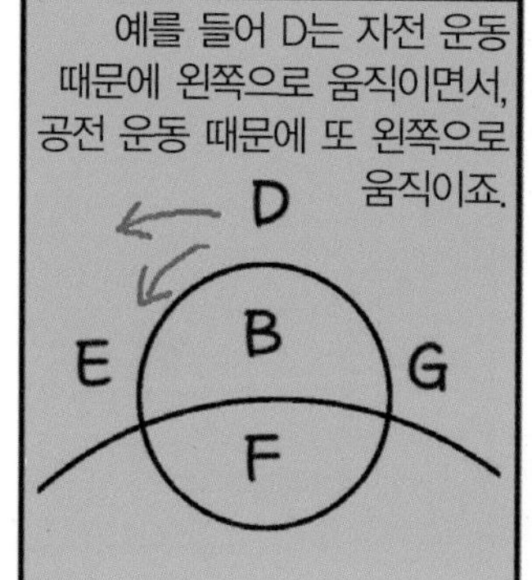
예를 들어 D는 자전 운동 때문에 왼쪽으로 움직이면서, 공전 운동 때문에 또 왼쪽으로 움직이죠.
D
E
B
G
F

그래서 이 둘의 효과가 합쳐져 아주 빠르게 움직이게 됩니다.

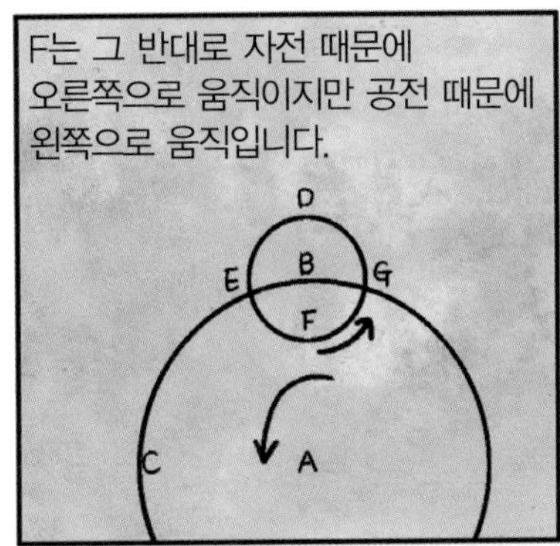
F는 그 반대로 자전 때문에
오른쪽으로 움직이지만 공전 때문에
왼쪽으로 움직입니다.
D
B
E
G
F
C
A

따라서 그 둘의
효과가 합쳐져 아주
느리게 움직이게
됩니다.

E와 G는 실제 움직임이
공전 운동과 거의 같습니다.
자전 운동이
공전 운동에
거의 영향을
끼치지 못하기
때문이죠.

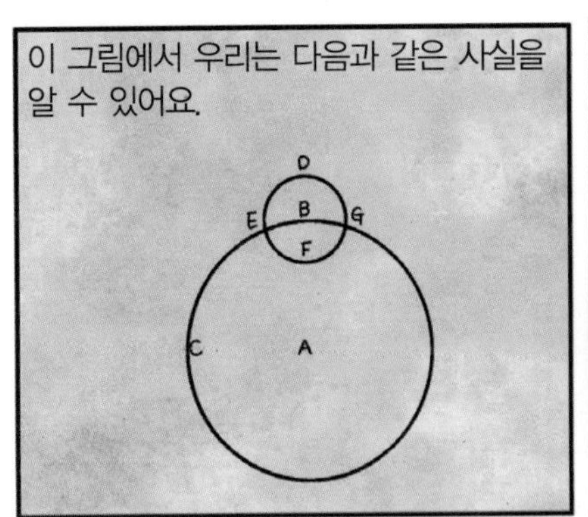
이 그림에서 우리는 다음과 같은 사실을
알 수 있어요.
D
B
E
G
F
C
A

지구가 공전이나 자전 중에서 어느 한 가지 운동만 한다면
지구 표면의 모든 부분이 일정한 속력으로 움직일 겁니다.
하지만 이 두 가지
운동을 섞으면 지구
표면의 각 부분이
고르게 움직이지
않는다는 겁니다.
오~.

물이 가득한 물그릇을 생각해
볼까요?

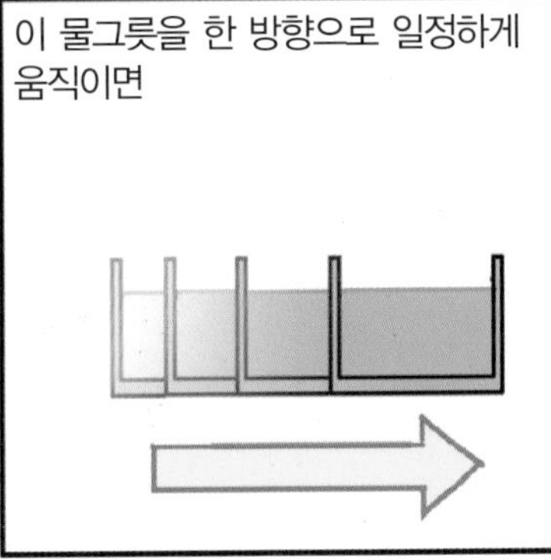
이 물그릇을 한 방향으로 일정하게
움직이면

맨 처음에는 물이 물그릇의
움직임과 반대 방향으로 쏠렸다가

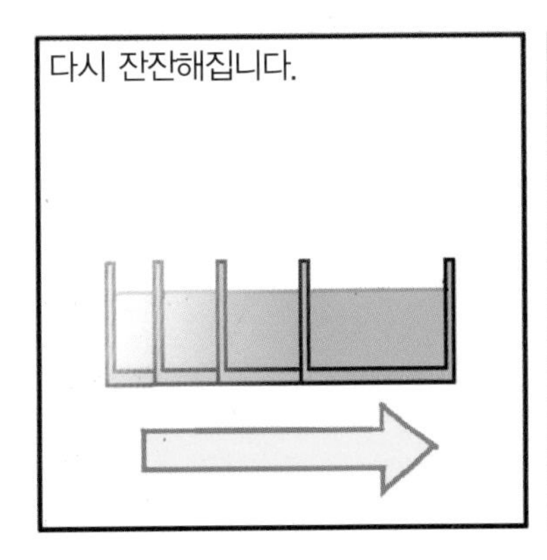
다시 잔잔해집니다.

또 이 물그릇이 일정한 속력으로
원운동을 한다면

중심의 반대쪽으로 쏠리게 될
뿐이죠.
찰랑

그런데 이 두 가지 운동을 함께 할 때에는
이렇게 말입니다!

물이 이쪽저쪽으로 쏠리면서 이동을 합니다.
아차차차~.

이때 물그릇 안에 있는 물의 진동 주기는 그릇의 크기나 물의 깊이 등에 따라 달라집니다.

이 물그릇을 지구로 바꿔 생각해 보세요.

그럼 지구의 바닷물도 물그릇의 물처럼 일정한 주기를 가지고 진동을 하게 되지요.

더구나 바다의 밑바닥은 물그릇처럼 평평하지 않고 울퉁불퉁합니다.

또 섬과 해협, 바람 때문에 물살이 빨라지기도 하고 느려지기도 하고요.

이런 여러 가지 지형적인 특징이 더해져 복잡한 조석 현상이 일어나는 것입니다.

살비아티는 이 밖에
여러 가지 설명을 했어.
하지만 여기에서는
이 정도만 소개할게.

어차피 하나의 가설로 등장했을 뿐이지 올바른 이론은 아니거든.
쳇!

그 대신 현대 천문학 이론에 따라 조석 현상을 설명해 볼게.

이 설명을 듣다 보면 조석 현상이 어떻게 일어나는지 알 수 있을 뿐만 아니라,
나의 주장처럼
지구의 움직임이
어떻게 조석 현상과
관계가 있는지
알게 될 거야.
철썩

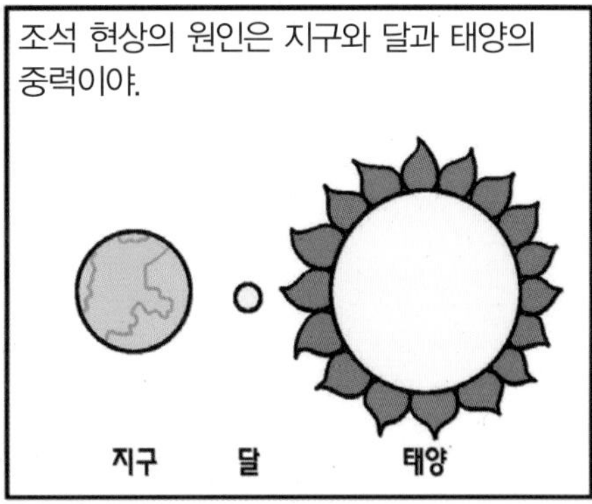
조석 현상의 원인은 지구와 달과 태양의 중력이야.
지구
달
태양

거기에 내가 생각한 것처럼 지구의 운동이 원인을 제공하지.
먼저 지구와 달
때문에 일어나는
조석 현상을
설명해 볼게.

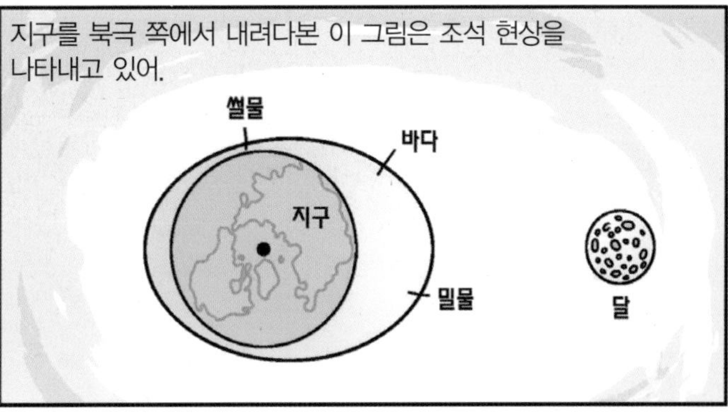
지구를 북극 쪽에서 내려다본 이 그림은 조석 현상을 나타내고 있어.
썰물
바다
지구
밀물
달

달이 바닷물을 끌어당기기 때문에 바닷물이 달 쪽으로 부풀어 있지.
낑낑.
끄응

지구가 자전하기 때문에 지표의 각 부분은 바닷물이 높은 쪽과 낮은 쪽을 지나게 돼.
바닷물이
이동해서가
아니라 지표가
이동해서인 거지!

그때마다 밀물과 썰물이 생기는 거야.

그런데 이 그림에서는 틀린 곳이 하나 있어.
그게 뭔지 알겠어?

앞에서 소개한 소요학파 성직자의 설명을 기억해 봐.
나 말이야. 나… 기억 안 나?

달이 바닷물을 끌어당기기 때문에 밀물이 생기는 이유는 설명했지만, 반대쪽 밀물은 설명을 못했지.
달의 반대쪽에 밀물이 생기는 이유는 모르겠다고 했잖아.

실제로 바닷물은 달의 반대쪽으로도 부풀어 있거든.
다음 그림처럼 말이야.

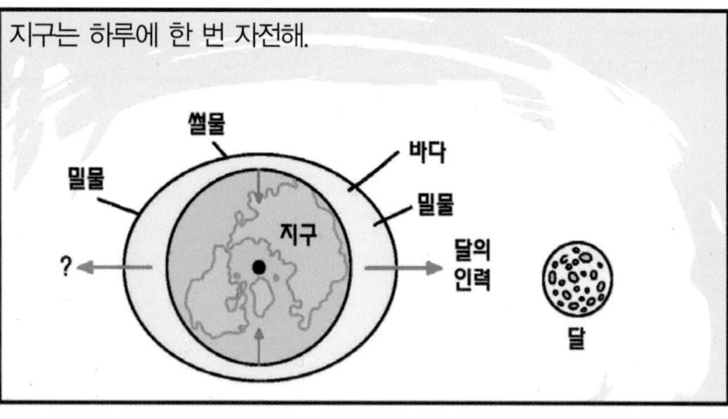
지구는 하루에 한 번 자전해.
썰물
바다
밀물
밀물
지구
?
달의 인력
달

그동안 밀물과 썰물 부분을 두 번씩 지나게 되지.
그래서 밀물과 썰물은 하루에 두 번씩 일어나는 거야.

그런데 달을 향한 쪽의 바닷물이 달의 인력 때문에 부푼 것은 이해하겠지?
하지만, 그 반대쪽의 바닷물은 왜 부푼 거냐고?

흠… 훌륭한 질문이야.

그건 바로 지구와 달이 서로 돌고 있기 때문이야.
빙글

다시 말해 지구의 움직임 때문에 생기는 거지.
나 때문이라고?

앞에서 나중에 설명하겠다고 한 것 기억 나?
지금이 바로 그때야?
응!

비록 나의 조석 가설이 틀리기는 했지만 지구의 움직임 때문에 조석 현상이 일어나긴 해.
조석 현상에 대한 나의 가설은 어느 정도 일리가 있다고 했잖아.

바로 그 부분을 설명해 볼게.
우리는 흔히 달이 지구 둘레를 돈다고 말해.

하지만 정확히는 지구와 달이 질량 중심을 중심으로 돈다고 말해야 해.
물체를 구성하는 질량을 가진 모든 입자들의 평균적인 위치를 질량 중심이라고 해.

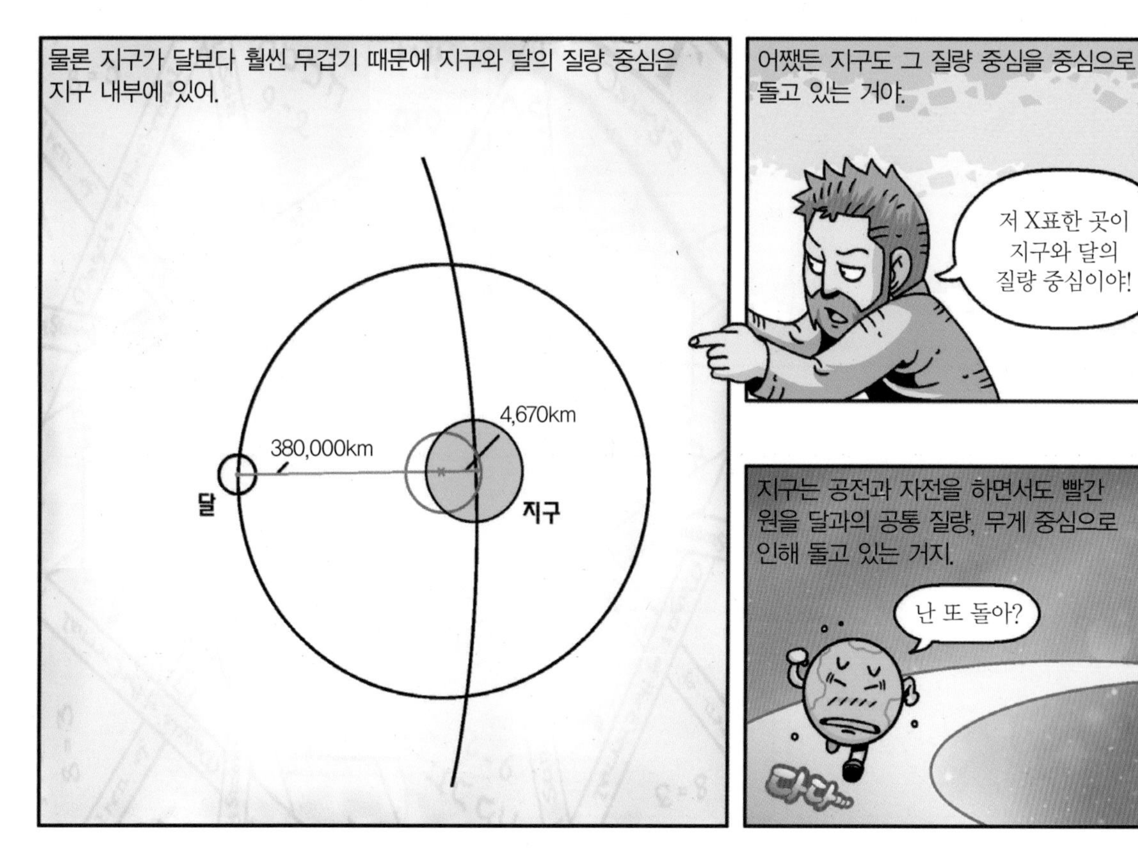
물론 지구가 달보다 훨씬 무겁기 때문에 지구와 달의 질량 중심은 지구 내부에 있어.
4,670km
380,000km
달
지구
어쨌든 지구도 그 질량 중심을 중심으로 돌고 있는 거야.
저 X표한 곳이 지구와 달의 질량 중심이야!
지구는 공전과 자전을 하면서도 빨간 원을 달과의 공통 질량, 무게 중심으로 인해 돌고 있는 거지.
난 또 돌아?
다다…

나는 공통 질량 중심으로 지구 주위를 공전하고 있어.
휘익~

지구는 달과의 무게 중심으로 인해, 더욱더 복잡한 운동을 하게 되는 거야.
아… 난 왜 이렇게 많은 회전을 하는 거야?
비틀

어떤 물체가 회전을 하면 원심력이 생겨.

원심력이란 회전 중심의 반대 방향으로 튀쳐나가려는 힘이지.

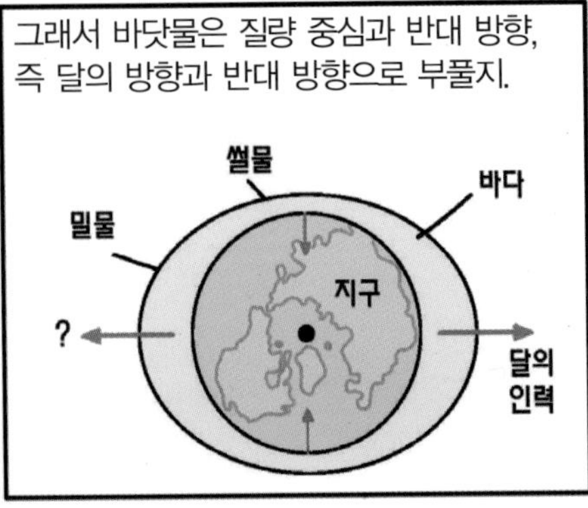
그래서 바닷물은 질량 중심과 반대 방향,
즉 달의 방향과 반대 방향으로 부풀지.
썰물
바다
밀물
지구
?
달의
인력

물론 달의 반대쪽 바닷물에도 달의 인력이 작용해.
하지만 달의 인력보다 원심력이 더 크기 때문에 달의 반대쪽으로 바닷물이 부푸는 거야.

다시 한 번 정리하면 이렇게 설명할 수 있어.
슥

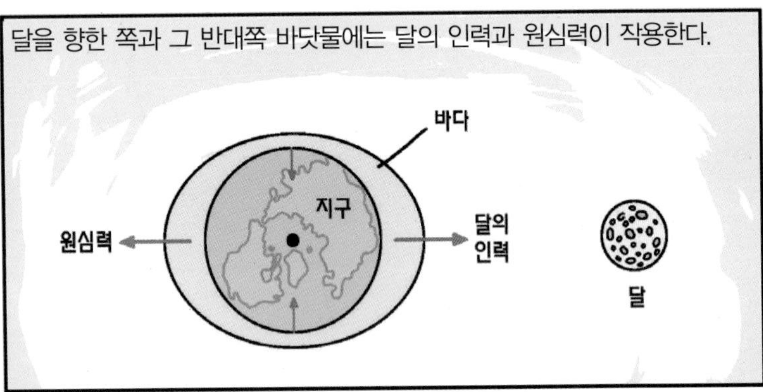
달을 향한 쪽과 그 반대쪽 바닷물에는 달의 인력과 원심력이 작용한다.
바다
지구
원심력
달의
인력
달

그런데 원심력은 반지름이 클수록 커지고
(속도가 빨라지므로)

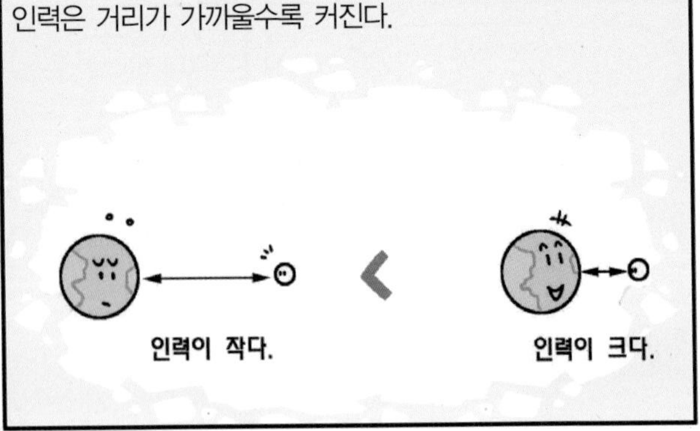
인력은 거리가 가까울수록 커진다.
인력이 작다.
인력이 크다.

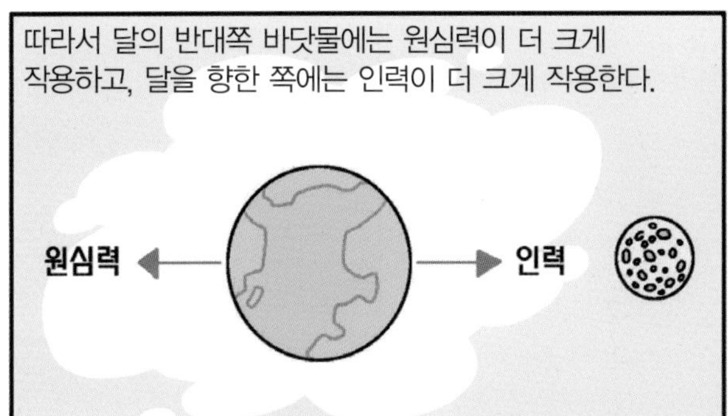
따라서 달의 반대쪽 바닷물에는 원심력이 더 크게 작용하고, 달을 향한 쪽에는 인력이 더 크게 작용한다.
원심력
인력

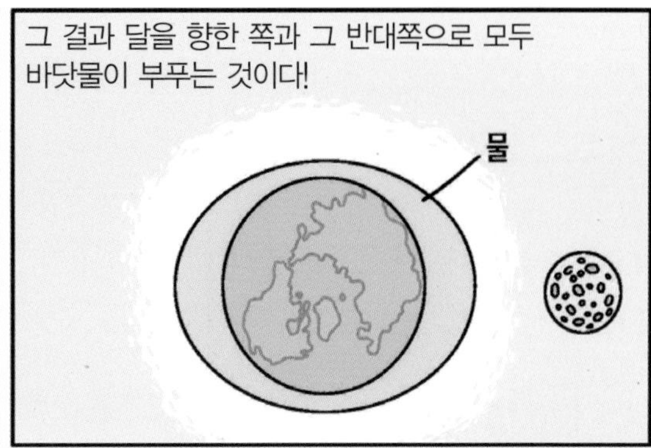
그 결과 달을 향한 쪽과 그 반대쪽으로 모두 바닷물이 부푸는 것이다!
물

이제 어느 정도 이해할 수 있겠지?

내가 조석 현상을 이렇게 설명했으면 좋았겠지만…
굳이 핑계를 댄다면 내가 살던 시대엔 너무나 부족한 것이 많았어.

어쨌든 나의 주장처럼 지구의 움직임도 조석 현상에 큰 영향을 끼친 것은 틀림없어.
철썩

물론 정확하게 설명한 것은 아니지만 말이야.
그래도 대견하지 않아? 하하!

자, 이제 모든 이야기를 끝낼 때가 되었습니다.

비록 나흘이라는 짧은 시간이었지만 참 많은 내용을 다루었습니다.
네, 고맙습니다.

사그레도의 객관적인 평가도 사실은 큰 힘이 되었습니다.

심플리치오는 아리스토텔레스의
이론을 버리지 않았어.

자연의 실체를 밝힌다는 것은 아주 어려운 일이야.
어쩌면 보잘것없는 인간에게는 불가능한 일일지도 몰라.

앞에서도 한 번 소개했지만 마지막으로 다시 한 번
이 책의 마지막 부분에서 살비아티가 남긴 말을 들으며 마무리를 짓도록 할게.

이건 거대하고 신비스런 우주를 대하는 나의 마음 자세이기도 해!

신은 우리에게 우주의 구조에 대해서는 논쟁할 수 있도록 허락하셨지만, 신이 하신 일을 발견하지는 못하도록 하셨다. 그러니 우리는 신이 정하시고 허락한 범위 안에서 우주의 체계를 밝혀내려고 노력해야 한다.

갈릴레이의 4일간의 대화 따라잡기

| 첫째 날 |

직선 운동과 원 운동

과학 혁명의 완성

1543년 코페르니쿠스(Nicolaus Copernicus, 1473~1543)는 자신의 저서 《천체의 회전에 관하여》에서 지동설을 주장했어요. 이로부터 시작된 과학 혁명은 갈릴레이에 의해 과학적 증거들을 갖추게 되었습니다. 그 후 영국의 과학자 뉴턴(Isaac Newton, 1643~1727)은 자연을 유지하는 여러 법칙들을 정립하여 과학 혁명의 종지부를 찍게 되죠.

코페르니쿠스

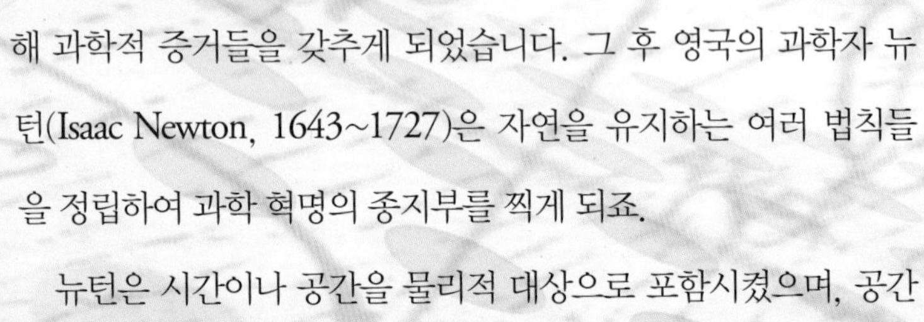

뉴턴은 시간이나 공간을 물리적 대상으로 포함시켰으며, 공간 내의 여러 가지 물체들 사이에 어떤 힘이 어떻게 작용하는지를 밝혔어요. 이로써 물체의 운동은 물론, 천체 사이에 작용하는 힘과 그들 사이의 운동이 구체적인 물리 법칙으로 확정될 수 있었지요. 《두 우주 체계에 대한 대화》에 등장하는 거의 모든 문제는 뉴턴의 '중력 법칙'과 '운동 법칙'으로 설명된답니다.

중력 법칙이란 질량을 가진 물체 사이에는 서로 끌어당기는 중력이 작용하며, 그 힘의 크기는 두 물체의 질량의 곱에 비례하며 거리의 제곱에 반비례한다는 것이에요. 갈릴레이 시대에는 물체가 지구로 떨어지는 힘의 원인을 정확히 알지 못했어요. 뉴턴은 물체의 질량을 물체의 고유한 양으로 규정하고, 질량을 가진 물체 사이에는 서로 끌어당기는 힘이 작용한다고 주장했어요. 이 힘이 바로 '중력'이랍니다.

운동 법칙은 세 가지로 나뉘어요. 첫째는 '물체는 외부에서 힘을 가하지 않으면 원래의 운동 상태를 유지한다.' 는 관성의 법칙이에요. 다시 말해 힘을 가하지 않으면 정지한 물체는 계속 정지해 있으려 하고, 운동하던 물체는 계속 등속 직선 운동을 한다는 것이죠. 둘째는 '물체에 힘을 가하면 그 물체는 가속도 운동을 한다.' 는 가속도의 법칙이에요. 여기서 가속도 운동이란 속도가 변하는 운동을 말한답니다. 다시 말해 어떤 물체의 운동 방향과 같은 방향으로 힘을 가하면 그 물체의 속도는 점점 빨라지고, 반대 방향으로 힘을 가하면 점점 느려진다는 것이에요. 셋째는 '모든 작용에는 크기가 같고 방향이 반대인 반작용이 따른다.' 는 작용과 반작용의 법칙입니다. 공이 벽에 부딪칠 때 공은 벽에 힘을 가해요. 이때 벽은 똑같은 힘으로 공을 밀쳐내는데 이것이 반작용이랍니다.

뉴턴

아리스토텔레스는 운동의 종류에는 직선 운동과 원 운동이 있으며, 물체는 자신의 성질에 따라 움직인다고 주장했어요. 무거운 성질을 가진 물체는 지구로 떨어지고, 가벼운 성질을 가진 물체는 하늘로 올라간다는 것이죠. 물론 물체는 모두 직선 운동을 합니다. 그리고 하늘의 물체들은 신성하고 완벽하기 때문에 원 운동을 한다고 봤어요. 아리스토텔레스 이후 2천 년이 넘도록 사람들은 이런 생각에서 벗어나질 못했습니다. 《두 우주 체계에 대한 대화》의 등장인물들도 이런 생각에서 벗어나지 못하고 자연 현상을 설명하고 있지요.

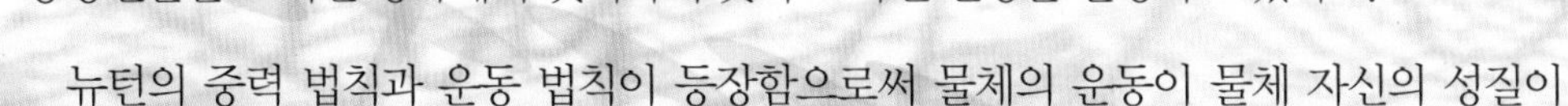

뉴턴의 중력 법칙과 운동 법칙이 등장함으로써 물체의 운동이 물체 자신의 성질이 아니라 외부와 상호 작용으로 생긴다는 사실이 밝혀지게 되었어요. 이로써 코페르니쿠스의 과학 혁명이 완성되었으며, 인류는 새로운 근대 과학의 시대로 접어들 수 있었습니다.

하늘은 변하지 않을까?

브라헤와 초신성

1572년 11월, 덴마크의 천문학자 브라헤(Tycho Brahe, 1546~1601)는 카시오페이아자리에서 유난히 밝게 빛나는 새로운 별 하나를 발견했어요. 이 별은 목성의 밝기까지 점점 밝아졌다가 16개월쯤 지나 다시 눈에서 사라졌어요. 이처럼 눈에 보이지 않다가 갑자기 밝아지는 별을 '초신성' 이라고 합니다.

역사상 기록된 초신성은 185년, 393년, 1006년, 1054년, 1181년, 1572년, 1604년에 나타난 7개예요. 《두 우주 체계에 대한 대화》에 나온 초신성이 바로 브라헤가 발견한 1572년의 초신성과 케플러(Johannes Kepler, 1571~1630)가 발견한 1604년의 초신성입니다.

1987년 2월 23일에는 대마젤란은하에서 또 하나의 초신성이 발견됐어요. '초신성1987A' 로 이름 붙여진 이 초신성은 3개월 후 3등급까지 밝아졌다가 천천히 어두워졌습니다.

브라헤가 활약하던 시절, 초신성의 발견은

깜짝 놀랄 만한 사건이었어요. 그때만 하더라도 달보다 먼 하늘은 영원불변하다는 아리스토텔레스의 이론이 진리로 받아들여졌는데, 초신성은 아리스토텔레스의 이론과 달리 하늘도 변할 수 있다는 증거였기 때문이죠. 그래서 대부분의 학자들은 초신성이 달 궤도 안쪽의 지구 대기권에서 나타나는 현상이라고 주장했답니다.

초신성 1987A를 멀리서 본 모습과 가까이에서 본 모습

브라헤는 아리스토텔레스 이론의 추종자였어요. 하지만 대부분의 아리스토텔레스학파 사람들과 달리 브라헤는 초신성이 아주 먼 곳에서 나타나는 현상이라고 생각했습니다. 왜냐하면, 초신성의 위치 변화를 관측하여 시차를 측정하려고 시도했지만, 초신성의 위치는 거의 변하지 않았기 때문이에요. (참고–눈앞에 가까이 있는 물체를 보면서 왼쪽 눈과 오른쪽 눈을 깜박이면, 물체의 위치가 조금씩 바뀌게 돼요. 이 각도의 변화를 시차라고 하는데 시차는 거리가 멀수록 작아집니다. 따라서 어떤 물체의 시차를 측정하면 그 물체의 거리를 알아낼 수 있는 거예요.)

브라헤의 연구 조수로 근무한 적이 있는 케플러는 지동설의 지지자였어요. 케플러는

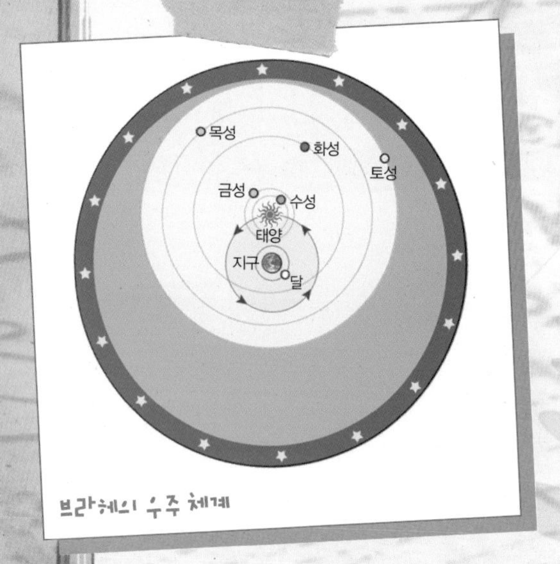

브라헤의 우주 체계

천동설을 지지하는 브라헤를 설득하려 했지만 브라헤는 끄떡없었어요. 하지만 아리스토텔레스의 이론이 틀렸음을 밝힌 브라헤 자신도 프톨레마이오스의 천동설을 그대로 믿을 수는 없었죠. 브라헤가 가지고 있던 생각은 다음과 같아요.

첫째, 행성들이 태양의 둘레를 돈다고 하면 행성들의 운동을 잘 설명할 수 있다.

둘째, 그렇다고 지구가 움직인다고 생각할 수는 없다. 만일 지구가 움직인다면 별들의 시차를 측정할 수 있을 텐데, 별들의 시차는 도저히 측정할 수 없기 때문이다.

이런 생각을 바탕으로 브라헤는 프톨레마이오스의 지구 중심설을 약간 수정하여 자신의 독특한 우주 체계를 구축했어요. 이것이 바로 브라헤의 우주 체계예요. 브라헤의 우주 체계도 궁극에는 지구 중심설이랍니다. 다만 달과 태양은 지구 둘레를 돌고, 다른 행성들은 태양 둘레를 돈다고 봤어요. 또 별들이 붙어 있는 커다란 천구는 지구를 중심으로 돌고요. 역사상 가장 뛰어난 관측 천문학자였던 브라헤는 아리스토텔레스의 이론을 반박할 수 있는 중요한 증거를 발견하고서도 그의 그늘을 벗어나질 못했어요. 그만큼 아리스토텔레스의 영향력이 대단했던 것일 거예요.

지구와 달은 서로 다를까?

지구와 달의 표면

달 표면의 가장 큰 특징은 어두운 무늬와 수없이 많은 크레이터(crater, 달 표면에 있는 크고 작은 구멍)들이죠. 어두운 무늬는 아주 오래 전부터 관찰되어 왔는데, 그 무늬는 보는 사람에 따라 여러 가지로 보여요. 과학이 발달하기 전에는 그 무늬를 보고 숱한 신화와 전설이 만들어졌답니다. 동양에서는 달에 토끼가 산다는 전설이 널리 전해지는데, 그 무늬가 절구질을 하는 토끼 모습으로 보였기 때문이에요.

크레이터

달 표면의 모습은 갈릴레이 이후 많은 천문학자들에 의하여 관측됐습니다. 폴란드의 천문학자인 헤벨리우스(Johannes Hevelius, 1611~1687)는 달 표면 지도를 책으로 출간했고(《월면도(月面圖) Selenographia》, 1647), 이탈리아의 천문학자 리치올리는 달 표면의 어두운 지역을 바다라고 부르기 시작했어요. '고요의 바다', '비의 바다' 같은 이름은 모두 리치올리가 지은 거랍니다.

크레이터의 크기는 아주 다양한데, 큰 것은 지름이 수백 킬로미터나 돼요. 맨 처음 과학자들은 이 크레이터들이 화산 폭발로 만들어진 분화구라고 생각했습니다. 하지만 대부분의 크레이터들은 운석의 충돌로 만들어진 거예요.

고요의 바다

크레이터는 어두운 지역보다는 밝은 지역에 많이 분포합니다. 왜냐하면 어두운 지역의 크레이터들은 후에 분출된 마그마에 의해 덮였기 때문일 것으로 생각하기 때문이에요.

지구와 달은 거의 같은 시기에 만들어졌어요. 그 시기에는 수없이 많은 작은 천체들이 우주 공간을 떠돌아다녔어요. 크레이터는 그런 천체들의 충돌로 만들어진 거랍니다. 그런데 달 표면에는 크레이터들이 수없이 많은데 어째서 지구 표면에는 별로 없는 걸까요? 그 이유는 바로 지구에는 대기가 있기 때문입니다.

물론 달보다 큰 지구에는 운석이 더 많이 충돌했을 것이며, 크레이터 또한 많이 만들어졌을 거예요. 하지만 우주 공간에 작은 천체들이 점점 사라지면서 지구와 달 표면의 격렬한 활동은 잠잠해져 갔어요. 그 후 지구에는 대기가 생기고 비바람이 몰아치기 시작하면서 지구 표면의 크레이터들은 침식되어 점점 사라지게 되었죠.

달은 지구에 비해 훨씬 작기 때문에 인력이 아주 약합니다. 따라서 달의 대기가 모두 우주 공간으로 날아갔기 때문에 달에는 기상 현상이 일어나지 않아요. 그 결과 달 표면의 크레이터들은 수십억 년의 세월을 지나 지금까지 남을 수 있었어요.

| 둘째 날 |

지구와 천구, 어느 것이 움직일까?

별의 연주 시차

우주의 체계를 연구하던 천문학자들에게 가장 어려웠던 점 중 하나는 천체의 거리 측정이었어요. 《두 우주 체계에 대한 대화》의 셋째 날 이야기에서 살비아티는 브라헤가 발견한 초신성의 위치를 알아내기 위해 13명의 천문학자들이 관측한 시차를 예로 들지요. 하지만 이 관측 자료가 신빙성이 없음은 물론이거니와 그 결과도 가지각색이었답니다. 당시로서는 나름대로 유명한 천문학자들의 측정이 왜 이렇게 터무니없었던 것일까요?

베셀

우리는 시차를 이용해 물체의 멀고 가까움을 느낍니다. 그런데 아주 먼 거리의 물체는 거의 원근을 느끼게 하지 못해요. 왜냐하면 시차의 기준선은 두 눈 사이의 거리인데 이 기준선의 거리에 비해 물체의 거리가 아주 멀 경우, 측정할 수 없을 정도로 시차가 작아지기 때문이에요.

시차를 이용하면 먼 물체의 거리를 알아낼 수 있어요. 기준선의 양끝에서 물체를 관측하면 물체의 위치는 먼 배경을 바탕으로 이동하지요. 이 이동한 각도의 절반을 시차라고 하는데, 이 시차의 크기를 이용해 그 물체의 거리를 측정하는 거예요.

달이나 태양, 행성은 지구에서 비교적 가까워서 지구의 양끝에서도 시차를 측정할 수 있어요. 하지만 별의 경우 거리가 너무 멀기 때문에 지구 정도의 기준선으로는 시차가 거의 측정되지 않아요. 별의 거리가 너무 멀다는 것 그리고 측정 기술이 열악하다는 것. 이 두 가지 이유 때문에 옛날의 천문학자들은 시차 측정에 어려움이 있을 수밖에 없던 거예요.

관측 기술은 점점 개선할 수 있지만 기준선에는 한계가 있어요. 그렇다면 우리가 얻을 수 있는 가장 큰 기준선은 무엇일까요? 그것은 바로 지구의 공전 궤도입니다. 지구는 1년에 한 번 태양의 둘레를 돌아요. 만일 그 궤도의 양끝에서 어떤 별의 시차를 측정한다면 그 시차는 우리가 얻을 수 있는 가장 큰 시차가 될 거예요.

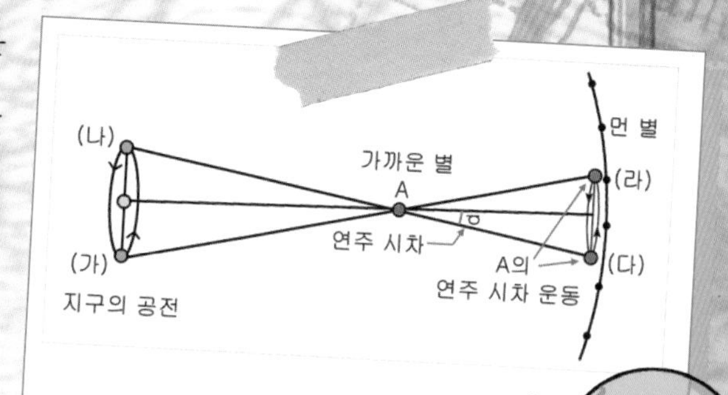

먼저 관측자는 지구가 (가)에 위치할 때 비교적 가까운 별 A를 관측합니다. 이때 A는 먼 별들이 이루는 천구의 (라)에 위치하는 것처럼 보여요. 지구가 공전하는 동안 A는 천구 위에서 이동합니다. 그리고 6개월 후 지구가 (나)에 위치할 때 A는 (다)에 위치하는 것처럼 보여요. (다)와 (라)가 이루는 각도의 절반 p를 '연주 시차'라고 하는데, 이 연주 시차를 정확히 측정하면 별의 거리를 정확히 알 수 있어요.

갈릴레이가 숨을 거두고 100년쯤 지난 1838년, 독일의 천문학자 베셀(Friedrich Wilhelm Bessel, 1784~1846)은 지구의 공전 궤도를 기준선으로 백조자리의 61번 별의 시차를 정확히 측정할 수 있었어요.

밤하늘에는 새로운 별이 나타나기도 하고, 모든 별의 위치는 끊임없이 변합니다. 하지만 옛날 사람들은 그런 사실을 제대로 관측할 수 없었어요. 그래서 하늘은 영원불변이라는 아리스토텔레스의 이론을 그렇게 오랫동안 믿어 왔던 거랍니다.

떨어지는 물체의 운동

자유낙하와 인공위성

갈릴레이는 높은 탑에서 물체를 던졌을 때 그 물체의 궤도는 원을 그리며, 그 물체는 결국 지구의 중심을 향해 떨어진다고 설명했어요. 하지만 이 설명은 맞지 않아요. 실제 그 물체는 포물선 궤도를 그리며, 그 물체의 종착지는 던진 힘에 따라 달라집니다.

그 시대의 다른 사람들과 마찬가지로 갈릴레이도 원이야말로 완전한 도형이라고 생각한 것 같아요. 그래서 그는 행성의 궤도가 타원이라는 케플러의 주장도 받아들이지 않았어요. 아무리 위대한 과학자라 하더라도 시대의 오류로부터는 자유로울 수 없었나 봐요.

그렇다면 떨어지는 물체는 실제로 어떤 운동을 할까요? 먼저 높은 탑에서 힘을 가하지 말고 돌을 떨어뜨려 봐요. 이 돌에는 오직 하나의 힘, 즉 중력이 작용합니다. 그렇기 때문에 이 돌은 바닥에 수직으로 곧게 떨어져요. 어떤 물체에 계속 힘을 가하면 그 물체는 가속 운동을 하니까 돌의 속력은 시간이 지날수록 점점 빨라지죠. 다시 말해 시간이 지남에 따라 1초 동안 돌이 떨어지는 거리는 점점 길어지는 거예요.

돌은 처음 1초 동안 4.9(=4.9×12)미터의 거리만큼 떨어져요. 그리고 2초가 지나면 19.6(=4.9×22)미터, 3초가 지나면 44.1(=4.9×32)미터의 거리만큼 떨어집니다. 돌이 떨어지는 거리는 시간의 제곱에 4.9미터를 곱한 값이 되는 셈이죠. 여기에서 4.9라는 수는 중력 가속도의 근사치입니다.

아리스토텔레스는 무거운 물체일수록 더 빨리 떨어진다고 생각했어요. 하지만 갈릴레이는 물체는 무게에 관계없이 같은 속도로 떨어지며, 그 거리는 시간의 제곱에 비례한다는 사실을 알고 있었답니다.

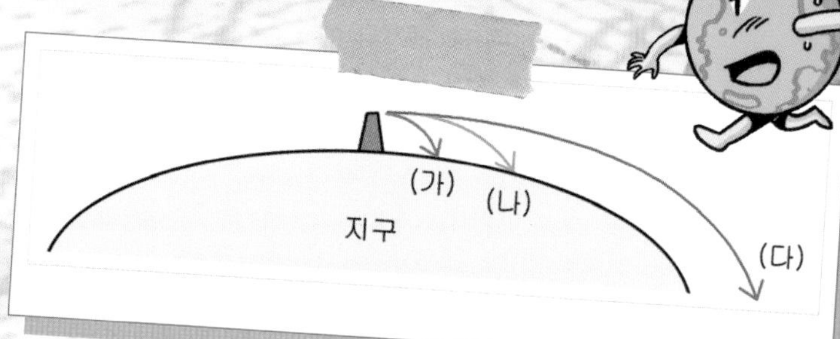

이번에는 높은 탑에서 옆으로 돌을 던져 봐요. 이 돌에는 두 가지 힘이 작용하는데, 첫째는 아래로 작용하는 중력이고, 둘째는 옆으로 작용하는 힘이에요. 옆으로 작용하는 힘은 돌을 던진 사람이 가한 것입니다. 그런데 이 힘은 돌을 던지는 순간에만 작용할 뿐 그 후로는 작용하지 않아요.

돌의 운동, 즉 속도를 수평 성분과 수직 성분으로 나누어 생각해 봐요. 돌의 수평 성분의 속도는 언제나 일정해요. 힘이 계속 작용하지 않기 때문입니다. 하지만 수직 성분의 속도는 중력이 계속 작용하기 때문에 시간이 지남에 따라 증가해요. 따라서 돌은 점점 아래로 구부러지는 포물선 궤도를 따라 떨어집니다.

이번에는 수평 성분의 속도를 점점 늘여 봐요. 그렇게 하면 돌은 수평 방향으로 점점 멀리 날아갈 거예요. 즉 수평 성분의 속도를 크게 할수록 돌은 (가)에서 (나)의 궤도를 따라 떨어지는 거죠. 그런데 만일 수평 성분의 속도를 아주 크게 해서 (다)처럼 날아가도록 만들면 어떻게 될까요? 지구가 구부러져 있기 때문에 돌은 땅에 떨어지지 않고 마치 달처럼 계속 지구 둘레를 돌 거예요. 이 돌처럼 지구 둘레를 도는 물체를 '위성' 이라고 합니다.

수평 성분의 속도를 더 크게 하면 돌의 궤도는 지구를 벗어나게 돼요. 행성 탐사선은 이런 원리로 지구의 중력을 벗어나 먼 우주로 여행을 할 수 있는 거랍니다.

날아가는 물체의 운동

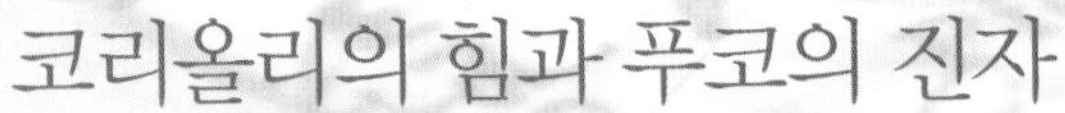

코리올리의 힘과 푸코의 진자

《두 우주 체계에 대한 대화》에서 심플리치오는 만일 지구가 자전을 한다면 동쪽과 서쪽으로 쏜 포탄이 날아가는 거리가 다를 것이라고 주장합니다. 하지만 살비아티는 지구가 자전하더라도 포탄이 날아가는 거리는 같다고 설명하죠. 이것은 물체의 움직임만을 보고 지구의 자전을 알아낼 수는 없다는 말이에요.

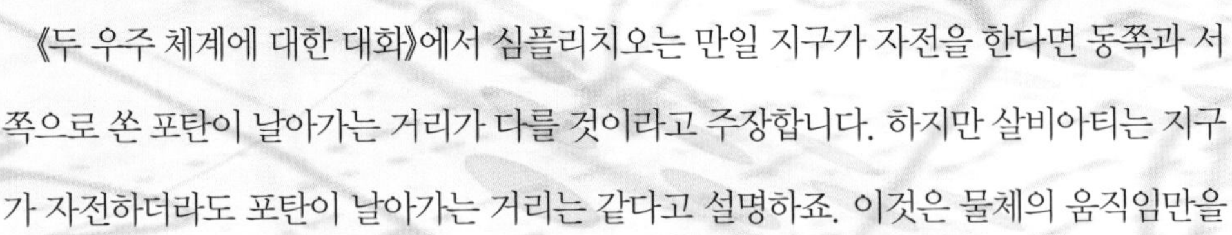

코리올리

지구가 만일 일정한 속도로 직선 운동을 한다면 이 말은 옳을 거예요. 하지만 지구는 자전을 하지요. 자전을 한다는 것은 자전축의 거리에 따라 원심력이 다르다는 뜻입니다. 즉 지표면에 작용하는 원심력은 위도에 따라 다르다는 거예요.

자전하는 지구와 자전하지 않는 지구에서는 다른 현상이 나타납니다. 이것을 쉽게 이해할 수 있도록 오른쪽과 같이 지구를 회전하는 2차원의 원판 모양이라고 생각해 봐요. 회전하는 물체에는 원심력이 작용하는데, 이때 원심력의 크기는 회전축에서 멀어질수록 커집니다. 원판의 안쪽이나 바깥쪽의 회전 주기는 같아서 바깥쪽으로 갈수록 속도가 빨라지기 때문이에요.

먼저 이 원판이 회전하지 않고 정지해 있을 때를 생각해 봐요. A에서 B를 향해 대포를 쏘았을 때 포탄은 직선 경로를 따라 B에 떨어집니다. 거꾸로 B에서 대포를 쏘았을 때에도 마찬가지로 직선 경로를 따라 A로 떨어지죠.

이번에는 원판이 회전할 때를 생각해 봐요. A에서 B로 대포를 쏘았을 때 포탄에는 오른쪽 방향으로 원심력A가 작용합니다. 한편 B의 위치에서는 원심력B가 작용하고요. 이때 원심력A는 원심력B보다 크기 때문에 포탄은 오른쪽으로 휘어지며 날아갑니다.

거꾸로 B에서 대포를 쏘았을 때에는 어떻게 될까요? B에서 출발한 포탄에는 왼쪽 방향으로 원심력B가 작용하는데, A에서는 이보다 큰 원심력A가 작용합니다. 따라서 포탄이 B를 떠나 A에 도착할 때, A는 B보다 더 빨리 왼쪽으로 이동해요. 그 결과 이때에도 포탄은 오른쪽으로 휘어지면서 날아갈 거예요.

1835년 프랑스의 수학자인 코리올리(Gustave Gaspard Coriolis, 1792~1843)는 뉴턴의 운동 방정식을 회전하는 좌표계에 적용했어요. 그리고 이 좌표계가 반시계 방향으로 회전 운동을 할 때, 물체의 운동 방향을 오른쪽으로 휘어지게 하는 힘이 작용함을 밝혔어요. 이 힘을 '코리올리의 힘'이라고 합니다. 좌표계가 시계 방향으로 회전 운동을 할 때에는 코리올리의 힘은 왼쪽으로 작용한답니다.

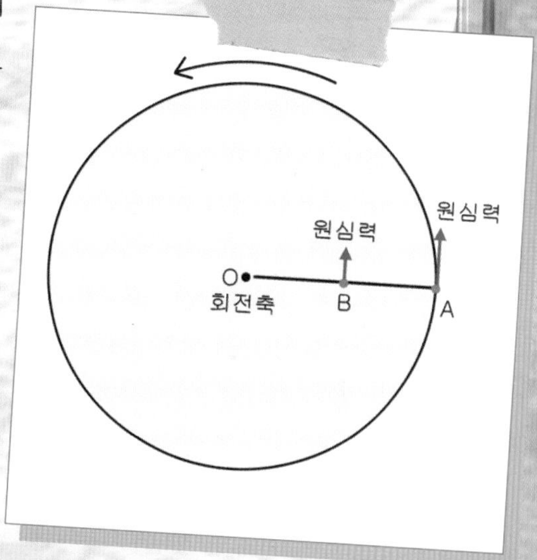

북반구에서는 태풍의 경로가 오른쪽으로 휘어지며, 남반구에서는 왼쪽으로 휘어져요. 이것은 바로 코리올리의 힘 때문입니다.

1851년, 프랑스의 물리학자 푸코(1819~1868)는 67미터의 줄에 28킬로그램의 무거운 쇠공을 매달아 좌우로 진동시켰습니다. 쇠공은 좌우로 진동하면서 코리올리의 힘을 받기 때문에 진동 방향이 조금씩 시계 방향으로 이동했어요. '푸코의 진자'라고 불리는 이 실험은 지구의 자전을 입증하는 최초의 실험이었습니다.

| 셋째 날 |

우주를 그리다!

황도 12궁

천문학이 발달하기 전부터 태양의 움직임은 사람들에게 아주 중요했어요. 태양의 위치에 따라 계절이 바뀌고 그에 따라 사람들의 생활도 달라졌기 때문이죠. 계절 변화는 우주의 중심이 태양이냐 지구냐에 관계없고 그저 지구와 태양의 상대적 위치만 중요할 뿐이에요.

지구는 태양 둘레를 1년에 한 번 돌아요. 그러나 지구 입장에서 보면 태양이 지구 둘레를 일정한 길을 따라 1년에 한 번 도는 것처럼 보인답니다. 옛날 사람들은 태양이 지나는 길을 '황도'라고 불렀습니다.

계절에 따른 별자리

태양이 황도를 한 바퀴 돌면 1년이 지납니다. 이 황도가 바로 1년을 알려 주는 달력인 셈이죠. 또 황도를 12구간으로 나누면 1구간이 바로 1달이 됩니다. 그런데 문제는 하늘의 구간을 어떻게 나누느냐입니다. 하늘에서 위치의 기준으로 삼을 수 있는 것은 별자리예요. 별자리는 오랜 세월 거의 움직이지 않기 때문이랍니다.

옛날 사람들은 황도를 따라 12개의 별자리를 만들어 이 문제를 해결했어요. 이 12개의 별자리가 바로 황도 12궁입니다. 황도 12궁은 태양의 위치를 정하는 데 지금도 아주 유용한 개념이에요.

지구의 자전축은 황도면에 수직인 선에서 23.5도 기울어져 있어요. 계절 변화는 지구의 자전축이 이처럼 기울어져 있기 때문에 일어난답니다. 지구의 적도를 천구에 투영할 때 만들어지는 커다란 원을 천구의 적도라고 해요. 지구의 자전축이 기울어져 있기 때문에 천구의 적도와 황도는 두 곳에서 만납니다.

이 두 교점 중에서 태양이 물고기자리에 위치하는 3월 21일쯤을 '춘분' 이라고 하는데 이때 북반구의 계절은 봄이에요. 태양은 양자리와 황소자리를 거쳐 6월 21일쯤 쌍둥이자리에 위치하는데 이때를 '하지' 라고 한답니다. 북반구에서는 하지 때 태양의 고도가 가장 높아 여름이 돼요.

하지를 지나면 태양은 게자리와 사자자리를 거쳐 처녀자리로 이동합니다. 태양이 처녀자리로 이동하는 9월 23일쯤을 '추분' 이라고 하는데, 북반구에서는 이때가 가을이에요. 추분을 지나면 태양은 천칭자리와 전갈자리를 거쳐 12월 22일쯤에는 궁수자리에 위치해 북반구에서는 이때가 겨울이 돼요.

동지를 지나면 태양은 염소자리와 물병자리를 거쳐 다시 물고기자리로 들어갑니다. 이렇게 해서 1년이 지난 것이죠.

태양이 뜨면 별은 보이지 않아요. 그런데 어떻게 별자리를 기준으로 태양의 위치를 표시할 수 있을까요? 그것은 아주 간단해요. 태양이 위치하는 별자리의 반대쪽 별자리를 관측하면 되는 것이랍니다.

거꾸로 움직이는 행성들

내행성과 외행성

행성은 모양에 따라 지구형 행성과 목성형 행성으로 나뉘어요. 지구형 행성은 지구처럼 단단한 고체의 표면을 가진 행성을 말하는데 수성, 금성, 지구, 화성이 이에 속해요. 목성형 행성은 목성처럼 가스로 이루어진 행성을 말하는데 목성, 토성, 천왕성, 해왕성이 이에 속합니다.

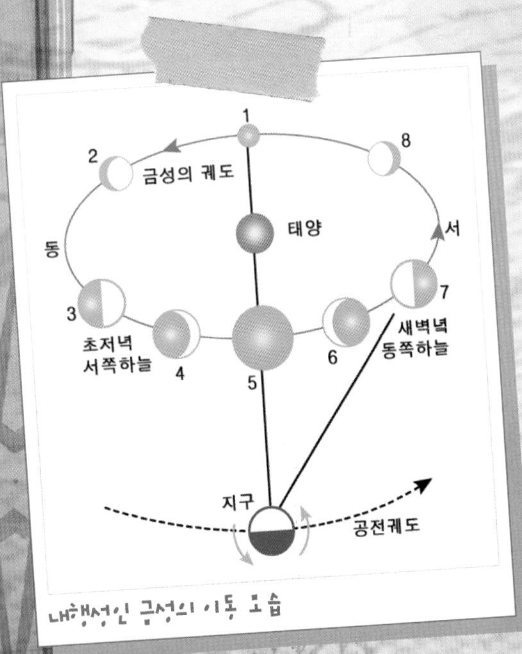

내행성인 금성의 이동 모습

목성형 행성은 모두 화성 궤도 바깥쪽에 위치하며 아주 커다랗죠. 또한 모두 크고 작은 고리를 갖고 있으며, 많은 위성을 거느려요. 한편 지구형 행성은 모두 지구보다 작고 위성의 수도 많지 않아요. 수성과 금성은 위성이 없으며 지구는 하나의 위성, 그리고 화성은 두 개의 위성을 거느린답니다.

얼마 전까지만 해도 해왕성의 바깥 궤도를 도는 명왕성을 지구형 행성으로 취급했지만 명왕성은 크기가 달보다 작고, 특이하게 길쭉한 궤도를 지니는 등 행성의 일반적인 특성을 벗어나기 때문에

2006년에 행성의 자격을 박탈당했어요.

행성은 내행성과 외행성으로 나누기도 합니다. 내행성은 지구 궤도보다 안쪽에 위치한 수성과 금성을 말하며, 외행성은 지구 궤도 바깥쪽에 위치한 다섯 행성을 말해요.

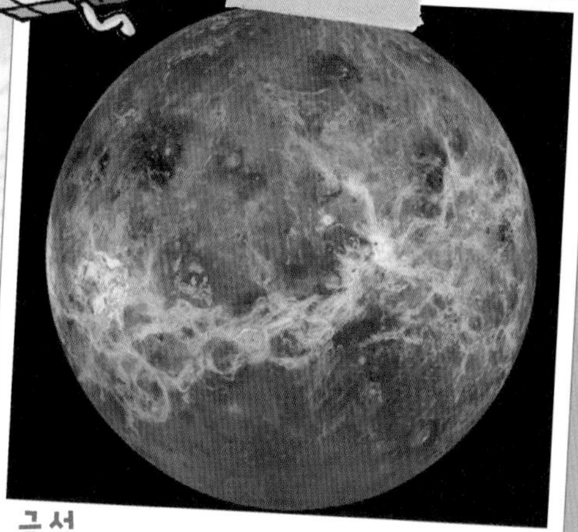

금성

지구는 내행성과 태양 사이에 끼어들 수가 없어요. 그래서 내행성은 언제나 태양 주변에서만 볼 수 있답니다. 또한 수성과 금성은 태양과 지구에 아주 가깝기 때문에 밝게 빛나요. 금성은 태양과 달에 이어 하늘에서 가장 밝게 보이는 천체랍니다.

옛날 사람들은 새벽에 태양이 뜨기 전에 동쪽 하늘에서 밝게 빛나는 금성을 '샛별'이라고 불렀어요. 그런데 금성은 초저녁에 태양이 진 후 서쪽 하늘에서도 볼 수 있어요. 초저녁의 금성을 '개밥바라기'라고도 부르는데, 초저녁에 개밥을 주던 사람이 보던 별이라는 뜻에서 그렇게 불렀다고 해요. 한밤중에는 금성을 볼 수 없는데 그것은 금성이 언제나 태양 주변을 맴돌기 때문이에요.

금성은 위치에 따라 달처럼 차고 이지러져요. 새벽의 동쪽 하늘에 보일 때에는 상현달처럼 보이고, 초저녁의 서쪽 하늘에 보일 때에는 하현달처럼 보이는 거예요. 하지만 이때에도 너무 밝기 때문에 맨눈에는 그저 둥글게 보일 뿐이랍니다.

금성이 사람 눈에 가장 잘 띄는 별인데 비해 수성은 본 사람이 거의 없을 정도로 관찰하기 아주 힘들어요. 물론 수성도 웬만한 1등성보다 훨씬 밝아요. 하지만 태양에 너무 가깝기 때문에 강한 햇빛에 묻혀 맨눈으로 보기 힘든 거랍니다.

여러 가지 천문 현상을 설명하다!

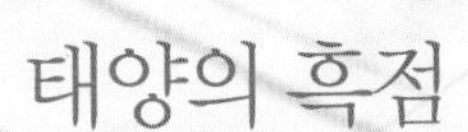

태양의 흑점

현대 천문학에 따르면 태양은 거대한 수소 폭탄이에요. 태양이 수소의 핵융합 반응으로 엄청난 에너지를 쏟아내고 있기 때문이죠. 그렇기 때문에 태양은 아주 격렬하게 홍염과 플레어를 수시로 폭발시켜 거대한 흑점이 생겨나고 사라지기를 반복해요. 그런데 흑점은 어째서 검게 보이는 것일까요?

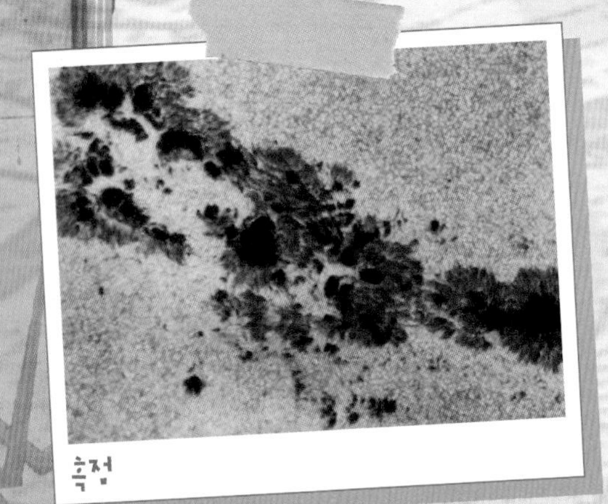
흑점

태양의 표면 온도는 약 5,000℃입니다. 그런데 흑점은 그보다 2,000℃ 이상 낮아요. 다시 말해 흑점은 밝은 빛을 내는 표면에서 온도가 낮아 어두운 부분인 셈이죠. 요즘에는 흑점이 태양의 자기장과 관련이 깊다는 사실도 잘 알려져 있어요.

태양 표면의 여러 활동 중에서 흑점은 비교적 오래전부터 관측되어 왔습니다. 흐린 날이나 일출, 일몰 때 햇빛이 약해지면 맨눈으로도 관측할 수 있기 때문이에요. 또한 자수정처럼 햇빛을 거르는 도구를 이용하기도 했어요. 가장 오래된 흑점 관측 기록은 고대 중국까지 거슬러 올라갑니다. 고대 중국에서는 적어도 2천 년 전에는 커다란 흑점을 관측했다고 해요.

우리나라의 흑점 관측 역사는 삼국시대부터 시작됩니다. 흑점이 본격적으로 기록되기 시작한 고려 시대의 자료를 보면 흑점의 수가 11년의 짧은 주기와 100년의 긴 주기로 변한다는 사실도 확인할 수 있어요. 이처럼 흑점을 자세히 관측하고 기록한 것은 오래 전부터 태양을 신격화했다는 사실과 연계되어 있습니다.

중국이나 우리나라의 신화와 전설에는 태양에 세 발 달린 까마귀, 즉 삼족오가 산다고 해요. 신라 시대에는 연오랑과 세오녀라는 부부가 일본으로 건너가 왕과 왕비가 되었는데, 그때부터 태양과 달이 기운을 잃었다는 전설이 전해져요. 연오랑과 세오녀의 이름 가운데 글자인 '오(烏)'가 바로 까마귀를 나타내는 한자입니다.

이처럼 태양과 까마귀가 동일시되는 이유 중의 하나는 바로 태양의 흑점에 있다고 생각하는 학자들도 있어요. 흑점의 검은색이 까마귀의 검은색과 연결된 것이죠.

동양과는 달리 유럽에서는 흑점 관측의 역사가 짧답니다. 1610년에 파브리시우스라는 천문학자가 맨 처음 흑점을 관측하여 논문을 발표했으며, 뒤이어 갈릴레이가 망원경으로 흑점을 체계적으로 관측했어요. 그때만 하더라도 유럽에서는 태양을 비롯한 천체는 완전하기 때문에 변하지 않는다고 생각했습니다. 고대 그리스 아리스토텔레스의 이론이 그때까지 큰 영향을 미쳤던 것이죠. 갈릴레이는 흑점의 크기와 수가 변하는 사실을 발견하고, 아리스토텔레스의 이론이 틀렸음을 뒷받침하는 한 가지 증거로 생각했어요.

천체의 조석력

질량을 가진 모든 물체 사이에는 중력이 작용해요. 그런데 이 중력의 크기는 물체의 각 부분마다 다르답니다. 왜냐하면 중력의 크기는 거리에 따라 달라지기 때문이에요.

예를 들어 다음 그림처럼 천체 A의 중력이 천체 B에 미칠 때를 생각해 봐요. 천체 A의 중심에서 천체 B의 각 부분 (가), (나), (다)까지 거리는 각각 다릅니다. 그래서 천체 A의 중력은 (가)에는 크게 작용하고, (다)에는 작게 작용해요. 그에 따라 천체 B의 각 부분에 변형력이 생기는데, 이 변형력을 '조석력'이라고 합니다.

천체 B가 아주 단단한 고체일 때에는 이 변형력을 견뎌낼 수 있어요. 하지만 이 변형력이 아주 세거나 천체 B가 약할 경우, 천체 B는 제 모습을 간직할 수 없습니다.

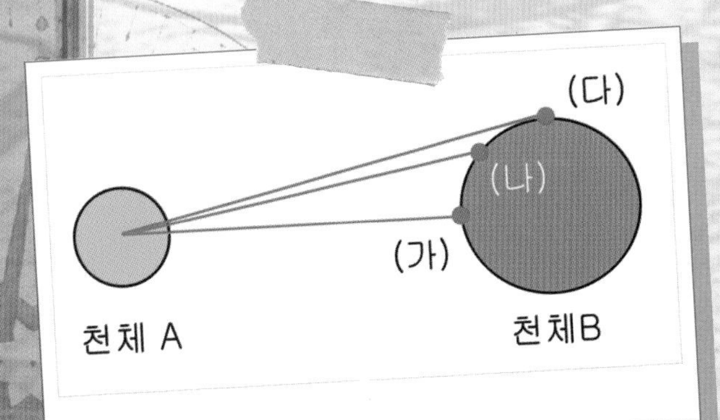

토성의 고리는 원래 하나의 위성이었다고 해요. 그 위성이 토성의 강한 조석력을 견디지 못하고 부서져 지금과 같은 고리를 이루게 되었다고 합니다.

지구에도 여러 천체의 조석력이 작용해요. 그중에서 가장 큰 조석력을 끼치는 천체는 달입니다. 그렇다면 태양의 조석력은 달

의 조석력보다 훨씬 작은 것일까요? 조석력의 크기는 천체의 질량에 비례하고 거리의 세제곱에 반비례해요. 천체의 거리가 질량에 비해 훨씬 큰 변수로 작용하는 것이죠. 따라서 지구에 작용하는 조석력의 대부분은 달에서 유래하며, 그 다음이 태양에서 유래하는 거예요. 나머지 행성들의 조석력은 무시해도 좋을 정도고요.

지구의 표면은 고체인 육지와 액체인 바닷물로 이루어져 있어요. 고체인 육지는 달의 조석력을 견딜 수 있지만 액체인 바닷물은 그렇지 않답니다. 즉 바닷물은 달의 조석력 때문에 이리저리 쏠리게 되며, 이 현상이 바로 밀물과 썰물로 나타나는 거죠.

지구의 밀물과 썰물은 달과 태양의 조석력 외에 지역 특성도 크게 영향을 받아요. 섬이나 해협, 넓은 바다가 있느냐 없느냐에 따라 간만의 차이가 결정되는 것이죠. 달의 조석력은 대기에도 영향을 끼치기는 하지만, 대기는 바닷물에 비해 밀도가 아주 낮아 큰 영향을 받지 않는답니다.

조석력 때문에 일어나는 현상은 지구 외의 천체에서도 발견돼요. 앞에서도 설명했듯이 토성이나 목성 같은 거대 행성의 고리는 조석력에 의해 부서진 위성일 것으로 추정됩니다. 또 조석력이 천체의 내부 구조나 활동에도 큰 영향력을 끼치기도 해요. 목성의 위성 이오에서는 특이하게도 화산 활동이 관측됩니다. 이오의 화산 활동을 일으키는 가장 중요한 원인은 목성의 조석력인데 목성의 조석력이 이오의 내부를 움직이고, 그 움직임에 의한 마찰 때문에 열이 발생하는 것입니다. 그 열이 이오의 내부를 뜨거운 액체로 만들고, 그것이 화산으로 뿜어져 나온다는 거예요.

갈릴레이 두 우주 체계에 대한 대화

정창훈 글 | 유희석 그림

01 《두 우주 체계에 대한 대화》를 쓴 사람은 누구일까요?

① 아리스토텔레스 ② 프톨레마이오스 ③ 코페르니쿠스
④ 플라톤 ⑤ 갈릴레이

02 다음 행성 중에서 가장 바깥쪽 궤도를 도는 행성은 어떤 것일까요?

① 금성 ② 토성 ③ 목성 ④ 화성 ⑤ 수성

03 지구에서 반사한 빛이 달에 비추어 달의 보이지 않는 부분이 희미하게 빛나는 현상을 무엇이라고 할까요?

① 구관조 ② 달무리 ③ 지구조 ④ 햇무리 ⑤ 무지개

04 다음 설명에 해당하는 이론은 무엇일까요?

- 우주의 중심에는 태양이 위치하고 있다.
- 지구를 비롯한 모든 행성은 태양 둘레를 공전한다.

① 이동설 ② 지동설 ③ 공전설 ④ 천동설 ⑤ 자전설

05 다음의 갈릴레이가 발견한 것들은 천동설을 부정하는 증거들입니다. 틀린 것을 고르세요.

① 태양의 흑점은 태양이 신성한 천체가 아님을 보여 주는 증거이다.
② 목성의 위성들은 지구 외의 행성들도 위성을 가질 수 있다는 증거이다.
③ 금성의 위상 변화는 금성이 태양 둘레를 돌고 있다는 증거이다.
④ 달 표면의 높고 낮은 지형은 달이 지구와 비슷하다는 증거이다.
⑤ 별자리가 변하지 않는다는 것은 하늘이 영원불멸하다는 증거이다.

06 지동설에 대한 설명입니다. 틀린 것을 고르세요.

① 별이 하루에 한 번씩 하늘을 움직이는 것은 지구가 자전하기 때문이다.
② 별자리가 계절에 따라 달라지는 것은 지구가 공전하기 때문이다.
③ 목성이 역행하는 이유는 목성이 주전원의 둘레를 돌면서 공전하기 때문이다.
④ 태양의 고도가 계절에 따라 바뀌는 것은 지구가 기운 채 공전하기 때문이다.
⑤ 금성이 늘 태양 근처에 있는 것은 금성이 지구 안쪽에서 태양 둘레를 돌기 때문이다.

07 황도 : 황도는 태양이 1년 동안 지나는 겉보기 경로이며, 황도에 위치한 12개의 별자리를 황도 12궁이라고 합니다.

08 오컴 : 이 원리를 '오컴의 면도날'이라고 합니다.

09 초신성(또는 신성)

10 등속 운동을 하는 체계에서는 모든 물리 법칙이 동일합니다. : 갈릴레이의 상대성은 뉴턴뿐 아니라 아인슈타인의 상대성 이론에서도 근간이 됩니다.

07 지구에서 보았을 때 태양이 1년 동안 지나는 하늘의 경로를 무엇이라고 할까요?

---

08 다음 설명은 모두 같은 뜻을 가지고 있습니다. 자연과학의 기준이 되는 이 원리를 주장한 사람은 누구일까요?

- 실체가 필요 이상으로 늘어나서는 안 된다.
- 자연은 쓸데없는 일을 하지 않는다.
- 복잡한 이론보다 간단한 이론이 낫다.

---

09 아리스토텔레스는 하늘은 변하지 않는다고 주장했습니다. 하지만 밤하늘에는 어두워 보이지 않다가 갑자기 밝아지는 별도 있는데 이런 별을 무엇이라고 할까요?

정답

01 ⑤ / 02 ②

03 ③ : 지구조는 초승달에서 잘 볼 수 있으며, 사진으로 찍으면 더 잘 나타납니다.

04 ②

05 ⑤ : 천동설을 주장하는 사람들은 하늘이 영원불멸한 물질로 이루어져 있다고 생각했습니다.

06 ③ : 주전원은 천동설의 주창자인 프톨레마이오스가 행성의 역행을 설명하려고 만든 개념입니다.

10 갈릴레이가 말하는 '상대성 원리'란 무엇일까요? 간단히 설명하세요.

통합교과학습의 기본은 세계사의 이해,

세계대역사 50사건

제대로 알차게 만든 교양 세계사 만화!
우리 집 최고의 종합 인문 교양서!

★서양사와 동양사를 21세기의 균형적 시각에서 다룬 최초의 역사 만화
★세계사의 핵심사건과 대표적 인물을 함께 소개해 세계사의 맥락을 짚어 주는 책
★시시각각 이슈가 되는 세계사 정보를 지식이 되게 하는 재미있는 대중 교양서

1. 파라오와 이집트
2. 마야와 잉카 문명
3. 춘추 전국 시대와 제자백가
4. 로마의 탄생과 포에니 전쟁
5.석가모니와 불교의 발전
6. 그리스 철학의 황금시대
7. 페르시아 전쟁과 그리스의 번영
8. 알렉산드로스 대왕과 헬레니즘
9. 실크 로드와 동서 문명의 교류
10. 진시황제와 중국 통일
11. 카이사르와 로마 제국
12. 로마 제국의 황제들
13. 예수와 기독교의 시작
14. 무함마드와 이슬람 제국
15. 십자군 전쟁
16. 칭기즈 칸과 몽골 제국
17. 르네상스와 휴머니즘
18. 잔 다르크와 백년전쟁
19. 루터와 종교개혁
20. 코페르니쿠스와 과학 혁명
21. 동인도회사와 유럽 제국주의
22. 루이 14세와 절대왕정
23. 청교도 혁명과 명예혁명
24. 미국의 독립전쟁
25. 산업 혁명과 유럽의 근대화
26. 프랑스 대혁명
27. 나폴레옹과 프랑스 제1제정
28. 라틴 아메리카의 독립과 민주화
29. 빅토리아 여왕과 대영제국
30. 마르크스_레닌주의
31. 태평천국운동과 신해혁명
32. 비스마르크와 독일 제국의 흥망성쇠
33. 메이지 유신 일본의 근대화
34. 올림픽의 어제와 오늘
35. 양자역학과 현대과학
36. 아인슈타인과 상대성 원리
37. 간디와 사티아그라하
38. 마오쩌둥과 중국 공산당
39. 대공황 이후 세계 자본주의의 발전
40. 제2차 세계 대전
41. 태평양 전쟁과 경제대국 일본
42. 호찌민과 베트남 전쟁
43. 팔레스타인과 이스라엘의 분쟁
44. 넬슨 만델라와 인권운동
45. 카스트로와 쿠바 혁명
46. 아프리카의 독립과 민주화
47. 스푸트니크호와 우주 개발
48. 독일 통일과 소련의 붕괴
49. 유럽 통합의 역사와 미래
50. 신흥대국 중국과 동북공정
★가이드북

김창회 외 글 | 진선규 외 그림 | 232쪽 내외